LAURENT GAUDÉ

LE SOLEIL DES SCORTA

roman

BABEL

LE SOLEIL DES SCORTA

DU MÊME AUTEUR

Théâtre

Combats de possédés, Actes Sud - Papiers, 1999.
Onysos le Furieux, Actes Sud - Papiers, 2000.
Pluie de cendres, Actes Sud - Papiers, 2001.
Cendres sur les mains, Actes Sud - Papiers, 2002.
Le Tigre bleu de l'Euphrate, Actes Sud - Papiers, 2002.
Salina, Actes Sud - Papiers, 2003.
Médée Kali, Actes Sud - Papiers, 2003.
Les Sacrifiées, Actes Sud - Papiers, 2004.

Romans

Cris, Actes Sud, 2001 ; Babel n° 613, 2003.
La Mort du roi Tsongor, Actes Sud, 2002 ; Babel n° 667, 2005.
Le Soleil des Scorta, Actes Sud, 2004.

ISBN 2-7427-6018-0

Photographie de couverture :
© Ferdinando Scianna / Magnum Photos, 2006

Pour Elio,
un peu du soleil de ces terres
coule dans tes veines,
qu'il illumine ton regard.

Camminiamo una sera sul fianco di un colle,
In silenzio. Nell'ombra del tardo crepuscolo
Mio cugino è un gigante vestito di bianco
Che si muove pacato, abbronzato nel volto,
Taciturno. Tacere è la nostra virtù.
Qualche nostro antenato dev'essere stato ben solo
– un grand'uomo tra idioti o un povero folle –
per insegnare ai suoi tanto silenzio.

Un soir nous marchons le long d'une colline,
en silence. Dans l'ombre du crépuscule qui s'achève,
mon cousin est un géant habillé tout de blanc,
qui marche d'un pas calme, le visage bronzé,
taciturne. Le silence c'est là notre force.
Un de nos ancêtres a dû être bien seul
– un grand homme entouré d'imbéciles
ou un malheureux fou –
pour enseigner aux siens un silence si grand.

CESARE PAVESE, "I mari del Sud" in *Lavorare stanca*,
traduction française Gilles de Van, Gallimard.

I

LES PIERRES CHAUDES DU DESTIN

La chaleur du soleil semblait fendre la terre. Pas un souffle de vent ne faisait frémir les oliviers. Tout était immobile. Le parfum des collines s'était évanoui. La pierre gémissait de chaleur. Le mois d'août pesait sur le massif du Gargano* avec l'assurance d'un seigneur. Il était impossible de croire qu'en ces terres, un jour, il avait pu pleuvoir. Que de l'eau ait irrigué les champs et abreuvé les oliviers. Impossible de croire qu'une vie animale ou végétale ait pu trouver – sous ce ciel sec – de quoi se nourrir. Il était deux heures de l'après-midi, et la terre était condamnée à brûler.

Sur un chemin de poussière, un âne avançait lentement. Il suivait chaque courbe de la route, avec résignation. Rien ne venait à bout de son obstination. Ni l'air brûlant qu'il respirait. Ni les rocailles pointues sur lesquelles ses sabots s'abîmaient. Il avançait. Et son cavalier semblait une ombre condamnée à un châtiment antique. L'homme ne bougeait

* Massif dans la région des Pouilles, au sud de l'Italie.

pas. Hébété de chaleur. Laissant à sa monture le soin de les porter tous deux au bout de cette route. La bête s'acquittait de sa tâche avec une volonté sourde qui défiait le jour. Lentement, mètre après mètre, sans avoir la force de presser jamais le pas, l'âne engloutissait les kilomètres. Et le cavalier murmurait entre ses dents des mots qui s'évaporaient dans la chaleur. "Rien ne viendra à bout de moi... Le soleil peut bien tuer tous les lézards des collines, je tiendrai. Il y a trop longtemps que j'attends... La terre peut siffler et mes cheveux s'enflammer, je suis en route et j'irai jusqu'au bout."

Les heures passèrent ainsi, dans une fournaise qui abolissait les couleurs. Enfin, au détour d'un virage, la mer fut en vue. "Nous voilà au bout du monde, pensa l'homme. Je rêve depuis quinze ans à cet instant."

La mer était là. Comme une flaque immobile qui ne servait qu'à réfléchir la puissance du soleil. Le chemin n'avait traversé aucun hameau, croisé aucune autre route, il s'enfonçait toujours plus avant dans les terres. L'apparition de cette mer immobile, brillante de chaleur, imposait la certitude que le chemin ne menait nulle part. Mais l'âne continuait. Il était prêt à s'enfoncer dans les eaux, de ce même pas lent et décidé si son maître le lui demandait. Le cavalier ne bougeait pas. Un vertige l'avait saisi. Il s'était peut-être trompé. A perte de vue, il n'y avait que collines et mer enchevêtrées. "J'ai pris la mauvaise route, pensa-t-il. Je devrais déjà apercevoir le village. A moins qu'il n'ait reculé. Oui. Il a dû sentir ma venue et a reculé jusque dans la mer pour que je ne l'atteigne pas. Je plongerai dans les flots mais je ne céderai pas. Jusqu'au bout. J'avance. Et je veux ma vengeance."

L'âne atteignit le sommet de ce qui semblait être la dernière colline du monde. C'est alors qu'ils virent Montepuccio. L'homme sourit. Le village s'offrait au regard dans sa totalité. Un petit village blanc, de maisons serrées les unes contre les autres, sur un haut promontoire qui dominait le calme profond des eaux. Cette présence humaine, dans un paysage si désertique, dut sembler bien comique à l'âne, mais il ne rit pas et continua sa route.

Lorsqu'il atteignit les premières maisons du village, l'homme murmura : "Si un seul d'entre eux est là et m'empêche de passer, je l'écrase du poing." Il observait avec minutie chaque coin de rue. Mais il se rassura rapidement. Il avait fait le bon choix. A cette heure de l'après-midi, le village était plongé dans la mort. Les rues étaient désertes. Les volets fermés. Les chiens même s'étaient volatilisés. C'était l'heure de la sieste et la terre aurait pu trembler, personne ne se serait aventuré dehors. Une légende courait dans le village qu'à cette heure, un jour, un homme remonté un peu tard des champs avait traversé la place centrale. Le temps qu'il atteigne l'ombre des maisons, le soleil l'avait rendu fou. Comme si les rayons lui avaient brûlé le crâne. Tout le monde, à Montepuccio, croyait en cette histoire. La place était petite mais à cette heure, tenter de la traverser, c'était se condamner à mort.

L'âne et son cavalier remontaient lentement ce qui était encore, en cette année 1875, la via Nuova – et qui deviendrait plus tard le corso Garibaldi. Le cavalier, manifestement, savait où il allait. Personne ne le vit. Il ne croisa même pas un de ces chats maigres qui pullulent dans les immondices des caniveaux. Il ne chercha pas à mettre son âne à l'ombre, ni à s'asseoir sur un banc. Il avançait. Et son obstination devenait terrifiante.

"Rien n'a changé ici, murmura-t-il. Mêmes rues pouilleuses. Mêmes façades sales."

C'est à ce moment-là que le père Zampanelli le vit. Le curé de Montepuccio, que tout le monde appelait don Giorgio, avait oublié son livre de prières dans le petit carré de terre contigu à l'église qui lui servait de potager. Il y avait travaillé deux heures le matin et l'idée venait de naître en lui que c'était là, bien sûr, sur la chaise en bois, près de la cabane à outils, qu'il avait posé le livre. Il était sorti comme on sort durant un orage, le corps recroquevillé, les yeux plissés, se promettant de faire le plus vite possible pour ne pas trop exposer sa carcasse à la chaleur qui rend fou. C'est là qu'il vit l'âne et son cavalier passer sur la via Nuova. Don Giorgio marqua un temps d'arrêt et, instinctivement, il se signa. Puis il retourna se protéger du soleil derrière les lourdes portes en bois de son église. Le plus étonnant ne fut pas qu'il ne pensa pas à donner l'alarme, ou à héler l'inconnu pour savoir qui il était et ce qu'il voulait (les voyageurs étaient rares et don Giorgio connaissait chaque habitant par son prénom), mais que, revenu dans sa cellule, il n'y pensa même plus. Il se coucha et sombra dans le sommeil sans rêve des siestes d'été. Il s'était signé devant ce cavalier comme pour effacer une vision. Don Giorgio n'avait pas reconnu Luciano Mascalzone. Comment l'aurait-il pu ? L'homme n'avait plus rien de ce qu'il avait été. Il avait une quarantaine d'années mais ses joues étaient creuses comme celles d'un vieillard.

Luciano Mascalzone déambula dans les rues étroites du vieux village endormi. “Il m'a fallu du temps mais je reviens. Je suis là. Vous ne le savez pas encore puisque vous dormez. Je longe la façade de vos maisons. Je passe sous vos fenêtres. Vous ne vous doutez de rien. Je suis là et je viens chercher mon dû.” Il déambula jusqu'à ce que son âne s'arrête. D'un coup. Comme si la vieille bête avait toujours su que c'était ici qu'elle devait aller, que c'était ici que prenait fin sa lutte contre le feu du soleil. Elle s'arrêta net devant la maison des Biscotti et ne bougea plus. L'homme sauta à terre avec une étrange souplesse et frappa à la porte. “Je suis là à nouveau, pensa-t-il. Quinze ans viennent de s'effacer.” Un temps infini s'écoula. Luciano pensa frapper une seconde fois mais la porte s'ouvrit doucement. Une femme d'une quarantaine d'années était devant lui. En robe de chambre. Elle le dévisagea longtemps, sans rien dire. Aucune expression ne parcourait son visage. Ni peur, ni joie, ni surprise. Elle le fixait dans les yeux comme pour prendre la mesure de ce qui allait advenir. Luciano ne bougeait pas. Il semblait attendre un signe de la femme, un geste, un froncement de sourcil. Il attendait. Il attendait et son corps s'était raidi. "Si elle fait mine de refermer, pensa-t-il, si elle n'esquisse qu'un seul petit geste de repli, je bondis, je défonce la porte et je la viole." Il la mangeait des yeux, à l'affût du moindre signe qui rompe cet état de silence. "Elle est encore plus belle que ce que j'avais imaginé. Je ne mourrai pas pour rien aujourd'hui." Il devinait son corps sous la robe de chambre, et cela faisait croître en lui un appétit violent. Elle ne disait rien. Elle laissait le passé remonter à la surface de sa mémoire. Elle avait reconnu l'homme qui se tenait devant elle. Sa présence ici, sur le pas de sa porte, était une énigme qu'elle n'essayait même pas de démêler. Elle laissait simplement le passé l'envahir à nouveau. Luciano Mascalzone. C'était bien lui. Quinze ans plus tard. Elle l'observait sans haine ni amour. Elle l'observait comme on fixe le destin dans les yeux. Elle lui appartenait déjà. Il n'y avait pas à lutter. Elle lui appartenait. Puisque après quinze ans il était revenu et avait frappé à sa porte, peu importe ce qu'il lui demanderait, elle donnerait. Elle consentirait, là, sur le pas de sa porte, elle consentirait à tout.

Pour rompre le silence et l'immobilité qui les entouraient, elle lâcha la poignée de la main. Ce simple geste suffit à sortir Luciano de son attente. Il lisait maintenant sur son visage qu'elle était là, qu'elle n'avait pas peur, qu'il pouvait faire d'elle ce qu'il désirait. Il entra d'un pas léger, comme s'il ne voulait laisser aucun parfum dans l'air.

Un homme poussiéreux et sale entrait dans la maison des Biscotti, à l'heure où les lézards rêvent d'être poissons, et les pierres n'y trouvèrent rien à redire.

Luciano pénétra chez les Biscotti. Cela allait lui coûter la vie. Il le savait. Il savait que lorsqu'il sortirait de cette maison, les gens seraient à nouveau dans les rues, la vie aurait repris, avec ses lois et ses combats, et il devrait payer. Il savait qu'on le reconnaîtrait. Et qu'on le tuerait. Revenir ici, dans ce village, et entrer dans cette maison, cela valait la mort. Il avait pensé à tout cela. Il avait choisi d'arriver à cette heure écrasante où même les chats sont rendus aveugles par le soleil, car il savait que si les rues n'avaient pas été désertes, il n'aurait même pas pu atteindre la grande place. Il savait tout cela et la certitude du malheur ne le fit pas tressaillir. Il pénétra dans la maison.

Ses yeux mirent du temps à s'habituer à la pénombre. Elle lui tournait le dos. Il la suivit dans un couloir qui lui sembla interminable. Puis ils arrivèrent dans une petite chambre. Il n'y avait pas un bruit. La fraîcheur des murs lui sembla une caresse. Il la prit alors dans ses bras. Elle ne dit rien. Il la déshabilla. Lorsqu'il la vit nue, ainsi, devant lui, il ne put réprimer un murmure : "Filomena…" Elle tressaillit de tout son corps. Il n'y fit pas attention. Il était comblé. Il faisait ce qu'il s'était juré de faire. Il vivait cette scène qu'il avait mille fois imaginée. Quinze années de prison à ne penser qu'à cela. Il avait toujours cru que lorsqu'il déshabillerait cette femme, une jouissance plus grande encore que celle des corps s'emparerait de lui. La jouissance de la vengeance. Mais il s'était trompé. Il n'y avait pas de vengeance. Il n'y avait que deux seins lourds qu'il prenait dans la paume de ses mains. Il n'y avait qu'un parfum de femme qui l'entourait tout entier, entêtant et chaud. Il avait tant désiré cet instant que maintenant, il s'y plongeait, il s'y perdait, oubliant le reste du monde, oubliant le soleil, la vengeance et le regard noir du village.

Lorsqu'il la prit dans les draps frais du grand lit, elle soupira comme une vierge, le sourire aux lèvres, avec étonnement et volupté, et s'abandonna sans lutter.

Luciano Mascalzone avait été toute sa vie ce que les gens de la région appelaient, en crachant par terre, "un bandit". Il vivait de rapines, de vol de bétail, de détroussage de voyageurs. Peut-être même avait-il tué quelques pauvres âmes, sur les routes du Gargano, mais cela n'était pas certain. On racontait tant d'histoires invérifiables. Une seule chose était sûre : il avait embrassé "la mauvaise vie" et il fallait se tenir à l'écart de cet homme-là.

A l'heure de sa gloire, c'est-à-dire à l'apogée de sa carrière de vaurien, Luciano Mascalzone venait fréquemment à Montepuccio. Il n'était pas originaire du village, mais il aimait cet endroit et il y passait le plus clair de son temps. C'est là qu'il vit Filomena Biscotti. Cette jeune fille d'une famille modeste mais honorable devint une véritable obsession. Il savait que sa réputation lui interdisait tout espoir de la faire sienne, alors il se mit à la désirer comme les vauriens désirent les femmes. La posséder, ne serait-ce qu'une nuit : cette idée faisait briller ses yeux dans la lumière chaude des fins d'après-midi. Mais le sort lui interdit ce plaisir brutal. Le matin d'un jour sans gloire, cinq carabiniers le cueillirent à l'auberge où il s'était installé. On l'emmena sans ménagement. Il fut condamné à quinze ans de prison. Montepuccio l'oublia, content de s'être débarrassé de cette mauvaise engeance qui lorgnait les filles du pays.

En prison, Luciano Mascalzone eut tout le temps de repenser à sa vie. Il s'était livré à de petits larcins sans envergure. Qu'avait-il fait ? Rien. Qu'avait-il vécu qui puisse lui tenir lieu de souvenir dans sa geôle ? Rien. Une vie s'était écoulée, nulle et sans enjeux. Il n'avait rien souhaité, rien raté non plus, parce que rien entrepris. Petit à petit, dans cette vaste étendue d'ennui qu'avait été son existence, son désir pour Filomena Biscotti lui parut être le seul îlot qui sauvait le reste. Lorsqu'il avait frémi en la suivant dans les rues, il avait eu le sentiment de vivre jusqu'à l'asphyxie. Cela rachetait tout le reste. Alors oui, il s'était juré qu'à sa sortie, il assouvirait ce désir brutal, le seul qu'il ait jamais connu. Quel qu'en soit le prix. Posséder Filomena Biscotti et mourir. Le reste, tout le reste, ne comptait pour rien.

Luciano Mascalzone ressortit de la maison de Filomena Biscotti sans avoir échangé un seul mot avec elle. Ils s'étaient endormis côte à côte, laissant la fatigue de l'amour s'emparer d'eux. Il avait dormi comme il ne l'avait plus fait depuis longtemps. Un sommeil serein de tout le corps. Un apaisement profond de la chair, une sieste de riche, sans appréhension.

Devant la porte, il retrouva son âne, encore chargé de la poussière du voyage. A cet instant, il savait que le compte à rebours était enclenché. Il allait à sa mort. Sans hésitation. La chaleur était tombée. Le village avait repris vie. Devant les portes des maisons voisines, de petites vieilles, habillées de noir, s'étaient assises sur des chaises branlantes et discutaient à voix basse, commentant la présence incongrue de cet âne, cherchant à mettre un nom sur son possible propriétaire. L'apparition de Luciano plongea les voisines dans un silence stupéfait. Il sourit en son esprit. Tout était tel qu'il l'avait pensé. "Ces imbéciles de Montepuccio n'ont pas changé, pensa-t-il. Qu'est-ce qu'ils croient ?

Que j'ai peur d'eux ? Que je vais maintenant chercher à leur échapper ? Je n'ai plus peur de personne. Ils me tueront aujourd'hui. Mais cela ne suffit plus à me terrifier. Je viens de bien trop loin pour cela. Je suis inatteignable. Peuvent-ils seulement le comprendre ? Je suis bien au-delà des coups qu'ils me porteront. J'ai joui. Dans les bras de cette femme. J'ai joui. Et il vaut mieux que tout s'arrête là car la vie, désormais, sera fade et triste comme un fond de bouteille." En pensant cela, il eut l'idée d'une ultime provocation, pour défier les regards scrutateurs des voisines et bien leur montrer qu'il ne craignait rien : il se rebraguetta ostensiblement sur le pas de la porte. Puis il remonta sur son âne et prit le chemin du retour. Dans son dos, il entendit les vieilles s'agiter de plus belle. La nouvelle était née et commençait déjà à se propager, d'une maison à l'autre, de terrasse en balcon, relayée par ces vieilles bouches édentées. La rumeur grossissait dans son dos. Il traversa à nouveau la place centrale de Montepuccio. Les tables des cafés étaient sorties. Des hommes, çà et là, discutaient. Tous se turent à son passage. La voix, dans son dos, ne faisait que grossir. Qui est-ce ? D'où sort-il ? Certains alors le reconnurent, dans l'incrédulité générale. Luciano Mascalzone. "Oui. C'est bien moi, pensa-t-il en passant devant les visages médusés. Ne vous épuisez pas à me dévisager ainsi. C'est moi. N'en doutez pas. Faites ce que vous brûlez d'envie de faire, ou laissez-moi passer mais ne me regardez pas avec ces yeux de bêtes. Je passe parmi vous.

Lentement. Je ne cherche pas à fuir. Vous êtes des mouches. De grosses mouches laides. Et je vous écarte de la main." Luciano continuait à avancer, descendant la via Nuova. Une foule silencieuse lui faisait maintenant cortège. Les hommes de Montepuccio avaient quitté la terrasse des cafés, les femmes se postaient à leur balcon et l'interpellaient : "Luciano Mascalzone ? C'est bien toi ?" "Luciano ? Fils de truie, tu as les couilles bien pendues pour oser revenir ici." "Luciano, lève un peu ta tête de cocu pour que je voie si c'est bien toi." Il ne répondait rien. Fixait toujours l'horizon, d'un air maussade, sans accélérer. "Les femmes crieront, pensa-t-il. Et les hommes frapperont. Je sais tout cela." La foule devenait plus pressante. Une vingtaine d'hommes maintenant marchaient sur ses talons. Et tout le long de la via Nuova, des femmes l'apostrophaient, de leur balcon, du pas de leur porte, tenant leurs enfants contre leurs jambes, se signant à son passage. Lorsqu'il passa devant l'église, à l'endroit même où il avait croisé don Giorgio quelques heures plus tôt, une voix plus forte que les autres retentit : "Mascalzone, c'est le jour de ta mort." Alors seulement, il tourna la tête en direction de cette voix et tout le village put voir sur ses lèvres un affreux sourire de défi qui les glaça tous. Ce sourire disait qu'il savait. Et qu'il les méprisait au-delà de tout. Qu'il avait obtenu ce qu'il était venu chercher et qu'il emporterait cette jouissance jusque dans sa tombe. Quelques enfants, effrayés par le rictus du voyageur, se mirent à pleurer. Et d'une seule voix, les mères laissèrent échapper cette injonction pieuse : “C’est le diable !”

Il arriva enfin à la sortie du village. La dernière maison était là, à quelques mètres. Après quoi il n’y avait plus que cette longue route de pierrailles et d’oliviers qui disparaissait dans les collines.

Un groupe d’hommes avait surgi de nulle part et lui bloquait le chemin. Ils étaient armés de bêches et de pioches. Le visage dur. Serrés les uns contre les autres. Luciano Mascalzone fit stopper son âne. Il y eut un long silence. Personne ne bougeait. “C’est donc là que je vais mourir. Devant la dernière maison de Montepuccio. Lequel de ceux-là se jettera le premier sur moi ?” Il sentit un long soupir parcourir les flancs de son âne et, en réponse, lui tapota l’omoplate. “Ces culs-terreux penseront-ils au moins à donner à boire à ma bête, lorsqu’ils en auront fini avec moi ?” Il reprit sa position, fixant le groupe d’hommes sans bouger. Les femmes, aux alentours, s’étaient tues. Personne n’osait plus faire un geste. Une odeur âcre parvint encore jusqu’à lui : la dernière qu’il sentit. L’odeur puissante des tomates séchées. Sur tous les balcons, les femmes avaient disposé de grandes planches de bois sur lesquelles séchaient des tomates coupées en quatre. Le soleil les brûlait. Elles se recroquevillaient, au fil des heures, comme des insectes, et dégageaient un parfum écœurant et acide. “Les tomates qui sèchent sur les balcons vivront plus longtemps que moi.”

Soudain une pierre le heurta en plein crâne. Il n'eut pas la force de se retourner. Il fit un effort pour rester en selle, bien droit. "C'est ainsi alors, eut-il encore le temps de penser, c'est ainsi qu'ils vont me tuer. Lapidé comme un excommunié." Une seconde pierre le frappa à la tempe. Cette fois, la violence du choc le fit vaciller. Il tomba dans la poussière, les pieds emmêlés dans l'étrier. Du sang coulait dans ses yeux. Il percevait encore les cris autour de lui. Les hommes s'échauffaient. Chacun prenait sa pierre. Ils voulaient tous frapper. Une pluie drue de rocailles lui martela le corps. Il sentait les pierres chaudes du pays qui le meurtrissaient. Elles étaient encore brûlantes de soleil et répandaient tout autour de lui l'odeur sèche des collines. Sa chemise était baignée d'un sang chaud et épais. "Je suis à terre. Je ne résiste pas. Frappez. Frappez. Vous ne tuerez rien en moi qui ne le soit déjà. Frappez. Je n'ai plus de force. Le sang s'échappe. Qui jettera la dernière pierre ?" Etrangement, la dernière pierre ne venait pas. Il pensa un temps que les hommes, dans leur cruauté, voulaient faire durer son agonie, mais ce n'était pas cela. Le curé venait d'accourir et il s'était interposé entre les hommes et leur proie. Il les traitait de monstres et les sommait de suspendre leur geste. Luciano le sentit bientôt s'agenouiller à ses côtés. Son souffle s'engouffrait dans ses oreilles : "Je suis là, mon fils. Je suis là. Tiens bon. Don Giorgio va s'occuper de toi." La pluie de pierres ne reprenait pas et Luciano Mascalzone aurait aimé repousser le curé pour que les Montepucciens achèvent ce qu'ils avaient commencé mais il n'avait plus de force. L'intervention du curé ne servait à rien. Elle ne faisait que rallonger le temps de son agonie. Qu'ils le lapident avec rage et sauvagerie. Qu'ils le piétinent et qu'on en finisse. C'est cela qu'il voulait répondre à don Giorgio mais aucun son ne sortait de sa gorge.

Si le curé de Montepuccio ne s'était pas interposé entre la foule et sa victime, Luciano Mascalzone serait mort heureux. Le sourire aux lèvres. Comme un conquérant repu de victoire et fauché au combat. Mais il dura un peu trop. Sa vie s'échappa de lui trop lentement et il eut le temps d'entendre ce qu'il aurait dû ignorer à jamais.

Les villageois s'étaient regroupés autour du corps et, à défaut de pouvoir finir leur saccage, ils l'insultaient. Luciano percevait encore leur voix comme les derniers cris du monde. "Cela te passera le goût de revenir ici." "On te l'avait dit, Luciano, c'est le jour de ta mort." Et puis il y eut cette dernière injonction qui fit trembler la terre sous son corps : "Immacolata est la dernière femme que tu violeras, fils de porc." Le corps sans force de Luciano tressaillit de la tête aux pieds. Derrière ses paupières fermées, son esprit chavira. Immacolata ? Pourquoi avaient-ils dit Immacolata ? Qui était cette femme ? C'est à Filomena qu'il avait fait l'amour. Le passé ressurgit à ses yeux. Immacolata. Filomena. Les images d'autrefois se mêlaient aux rires carnassiers de la foule qui l'entourait. Il revoyait tout. Il comprit. Et tandis que les hommes, autour de lui, continuaient à glapir, il pensait :

“Il s’en est fallu de peu que je meure heureux… Quelques secondes, à peine. Quelques secondes de trop… J’ai senti l’impact des pierres chaudes sur mon corps. Et c’était bien… C’est ainsi que j’avais pensé les choses. Le sang qui coule. La vie qui s’échappe. Mon sourire, jusqu’au bout, pour les narguer… Il s’en est fallu de peu mais je ne connaîtrai pas cette satisfaction-là. La vie m’a fait un dernier croche-pied… Je les entends rire tout autour de moi. Les hommes de Montepuccio rient. La terre qui boit mon sang rit. L’âne et les chiens rient aussi. Regardez Luciano Mascalzone qui croyait prendre Filomena et dépucela sa sœur. Regardez Luciano Mascalzone qui pensait mourir triomphant et qui gît là, dans la poussière, avec la grimace de la farce sur le visage… Le sort s’est joué de moi. Avec délices. Et le soleil rit de mon erreur… J’ai raté ma vie. J’ai raté ma mort… Je suis Luciano Mascalzone et je crache sur le sort qui se moque des hommes.”

C’était bien à Immacolata que Luciano avait fait l’amour. Filomena Biscotti était morte d’une embolie pulmonaire peu de temps après l’arrestation de Mascalzone. Sa sœur cadette, Immacolata, survécut, dernière du nom des Biscotti, et s’installa dans la maison familiale. Le temps passa. Les quinze années de réclusion. Et Immacolata, lentement, se mit à ressembler à sa sœur. Elle avait le visage que Filomena aurait pu avoir s’il lui avait été donné de vieillir. Immacolata resta vieille fille. Il lui semblait que la vie s'était désintéressée d'elle et qu'elle ne connaîtrait jamais d'autres aventures, dans son existence, que le changement des saisons. Dans ces années d'ennui, il lui arrivait souvent de repenser à cet homme qui courtisait sa sœur, alors qu'elle était encore une enfant, et c'était toujours avec une sorte de frisson de plaisir. Il était terrifiant. Son sourire de vaurien la hantait. Elle éprouvait à son souvenir l'ivresse de l'excitation.

Lorsqu'elle ouvrit la porte, quinze ans plus tard, et qu'elle vit cet homme planté devant elle qui ne demandait rien, il lui sembla évident qu'il fallait qu'elle se plie à la force sourde du destin. Le vaurien était là. Face à elle. Rien ne lui était jamais arrivé. Elle tenait son ivresse à portée de main. Plus tard, lorsque dans la chambre il murmura, devant son corps nu, le nom de sa sœur, elle pâlit. Elle comprit d'un coup qu'il la prenait pour l'autre. Elle hésita un temps. Fallait-il le repousser ? lui révéler son erreur ? Elle n'en avait aucune envie. Il était là, devant elle. Et si la prendre pour sa sœur pouvait lui apporter un plaisir plus grand, elle était prête à lui offrir ce luxe. Il n'y avait pas de mensonge. Elle acquiesçait à tout ce qu'il voulait, simplement, pour être la femme d'un homme, au moins une fois dans sa vie.

Don Giorgio avait commencé à prodiguer au moribond l'extrême-onction. Mais Luciano ne l'entendait plus. Il se tordait de rage.

“Je suis Luciano Mascalzone et je meurs ridiculisé. Ma vie entière pour aboutir à ce pied de nez. Et pourtant, cela ne change rien. Filomena ou Immacolata. Peu importe. Je suis satisfait. Qui peut comprendre cela ?... J’ai pensé pendant quinze ans à cette femme. J’ai rêvé pendant quinze ans à cette étreinte et au soulagement qu’elle m’apporterait. A peine sorti, j’ai fait ce que je devais. J’ai été jusqu’à cette maison, j’ai fait l’amour à la femme qui s’y trouvait. Je m’y suis tenu. Quinze ans à ne penser qu’à cela. Le sort a décidé de se jouer de moi, qui peut lutter contre cela ? Il n’est pas en mon pouvoir d’inverser le cours des fleuves ni d’éteindre la lumière des étoiles... J’étais un homme. Je me suis tenu à ce qu’un homme peut faire. Aller jusque là-bas, frapper à cette porte et faire l’amour à la femme qui m’ouvrait... Je n’étais qu’un homme Pour le reste, que le sort se moque de moi, je n’y peux rien... Je suis Luciano Mascalzone et je descends plus profond dans la mort pour ne plus entendre les rumeurs du monde qui ricane sur moi...”

Il mourut avant que le curé du village ait fini sa prière. Il aurait ri s’il avait su, avant de mourir, ce qui devait naître de cette journée.

Immacolata Biscotti tomba enceinte. La pauvre femme allait donner naissance à un fils. C’est ainsi que naquit la lignée des Mascalzone. D’une erreur. D’un malentendu. D’un père vaurien, assassiné deux heures après son étreinte, et d’une vieille fille qui s’ouvrait à un homme pour la première fois. C’est ainsi que naquit la famille des Mascalzone. D'un homme qui s'était trompé. Et d'une femme qui avait consenti à ce mensonge parce que le désir lui faisait claquer les genoux.

Une famille devait naître de ce jour de soleil brûlant parce que le destin avait envie de jouer avec les hommes, comme les chats le font parfois, du bout de la patte, avec des oiseaux blessés.

Le vent souffle. Il couche les herbes sèches et fait siffler les pierres. Un vent chaud qui charrie les bruits du village et les odeurs marines. Je suis vieille et mon corps craque comme les arbres sous la poussée du vent. Je suis encombrée de fatigue. Le vent souffle et je m'appuie sur vous pour ne pas chanceler. Vous me prêtez votre bras avec gentillesse. Vous êtes un homme dans la force de l'âge. Je le sens à la vigueur tranquille de votre corps. Nous irons jusqu'au bout. Accrochée à vous, je ne succomberai à aucune fatigue. Le vent nous siffle dans les oreilles et emporte certaines de mes paroles. Vous entendez mal ce que je dis. Ne vous inquiétez pas. Je préfère cela. Que le vent emporte un peu de ce que je dis. C'est plus facile pour moi. Je n'ai pas l'habitude de parler. Je suis une Scorta. Mes frères et moi nous étions les enfants de la Muette et tout Montepuccio nous appelait "les taciturnes".

Vous êtes surpris de m'entendre parler. C'est la première fois que je le fais depuis si longtemps. Vous êtes à Montepuccio depuis vingt ans, peut-être davantage et vous m'avez vue plonger dans le silence. Vous avez pensé, comme tout Montepuccio, que j'avais glissé dans l'eau gelée de la vieillesse et que je n'en reviendrais pas. Et puis ce matin je me suis présentée à vous, je vous ai demandé de m'accorder un entretien et vous avez tressailli. C'était comme si un chien ou la façade d'une maison se mettait à parler. Vous ne pensiez pas que cela soit possible. C'est pour cela que vous avez accepté ce rendez-vous. Vous voulez savoir ce que la vieille Carmela a à dire. Vous voulez savoir pourquoi je vous ai fait venir ici, de nuit. Vous m'offrez votre bras et je vous emmène sur ce petit sentier de terre. Nous avons laissé l'église à notre gauche. Nous tournons le dos au village et votre curiosité grandit. Je vous remercie de votre curiosité, don Salvatore. Elle m'aide à ne pas renoncer.

Je vais vous dire pourquoi je parle à nouveau. C'est parce que j'ai commencé, hier, à perdre la tête. Ne riez pas. Pourquoi riez-vous ? Vous pensez qu'on ne peut pas être suffisamment lucide pour dire que l'on perd la tête tout en la perdant vraiment. Vous vous trompez. Sur son lit d'agonie, mon père a dit "je meurs" et il est mort. Je perds la tête. Cela a commencé hier. Et dorénavant le temps m'est compté. Hier, je repensais à ma vie, comme je le fais souvent. Et je n'ai pas réussi à retrouver le nom d'un homme que j'ai bien connu. Je pense à lui presque chaque jour depuis soixante ans. Hier, son nom s'est dérobé. Pendant quelques secondes, ma mémoire est devenue une immensité blanche sur laquelle je n'avais aucune prise. Cela n'a pas duré longtemps. Le nom a refait surface. Korni. C'est ainsi que s'appelait cet homme. Korni. Je l'ai retrouvé mais si j'ai pu oublier son nom ne serait-ce qu'un instant, c'est que mon esprit a capitulé et que tout glissera doucement. Je le sais. C'est pour cela que je suis venue vous trouver ce matin. Je dois parler, avant que tout ne soit englouti. C'est pour cela aussi que je vous ai amené ce cadeau. C'est un objet que je voudrais que vous conserviez. Je vous parlerai de lui. Je vous dirai son histoire. Je voudrais que vous l'accrochiez dans la nef de l'église, au milieu des ex-voto. C'est un objet lié à Korni. Il sera bien, accroché au mur de l'église. Je ne peux plus le garder chez moi. Je risque de me réveiller un matin en ayant oublié son histoire et la personne à qui je le destinais. Je voudrais que vous le gardiez dans l'église, puis lorsque ma petite-fille, Anna, aura l'âge, que vous le lui transmettiez. Je serai morte. Ou sénile. Vous le ferez et ce sera comme si je lui parlais à travers les années. Regardez. Le voici. C'est une petite planche de bois que j'ai fait tailler, polir et laquer. Au milieu j'ai fait mettre ce vieux billet de bateau Naples-New York et, sous le billet, un médaillon en cuivre sur lequel est gravé : "Pour Korni. Qui nous a guidés dans les rues de New York." Je vous le confie. N'oubliez pas. C'est pour Anna.

Je vais parler, don Salvatore. Mais il me reste une dernière chose à faire. Je vous ai apporté des cigarettes pour que vous fumiez à mes côtés. J'aime sentir l'odeur du tabac. Fumez, je vous en prie. Le vent emportera les volutes jusqu'au cimetière. Mes morts aiment l'odeur de la cigarette. Fumez, don Salvatore. Cela nous fera du bien à tous les deux. Une cigarette pour les Scorta.

J'ai peur de parler. L'air est doux. Le ciel se penche pour nous écouter. Je vais tout raconter. Le vent emporte mes paroles. Laissez-moi penser que je parle pour lui et que vous ne m'entendez presque pas.

II

LA MALÉDICTION DE ROCCO

Immacolata ne se remit jamais de cet accouchement. C'était comme si toutes ses forces de vieille fille avaient été absorbées dans cet effort de la chair. Une naissance était un événement trop grand pour cet être souffreteux que la vie avait habitué au calme plat des journées d'ennui. Son corps capitula dans les jours qui suivirent la délivrance. Elle maigrissait à vue d'œil. Restait au lit toute la journée. Jetait des regards apeurés sur le berceau du nourrisson dont elle ne savait que faire. Elle eut juste le temps de donner un nom au nouveau-né : Rocco. Mais elle n'en fit pas davantage. L'idée d'être une bonne ou une mauvaise mère ne la hantait même pas. C'était plus simple que cela : un être était là, à ses côtés, gesticulant dans ses langes, un être qui n'était que demande, et elle ne savait tout simplement pas comment répondre à cet appétit de tout. Le plus simple était encore de mourir – et c'est ce qu'elle fit, un jour sans lumière de septembre.

Don Giorgio fut appelé et veilla la dépouille de la vieille fille toute la nuit, comme il se doit. Des voisines s'étaient proposées pour laver le corps et l'habiller. On avait mis le petit Rocco dans la pièce d'à côté et la nuit se passa dans les prières et la somnolence. Au petit matin, lorsque quatre jeunes hommes étaient venus emporter le corps – deux auraient suffi tant elle était maigre, mais don Giorgio avait insisté, pour les convenances –, le groupe de veilleuses s'approcha du père Zampanelli et l'une d'elles lui demanda :

"Alors, mon père, c'est vous qui le ferez ?"

Don Giorgio ne comprit pas.

"Que je fasse quoi ? demanda-t-il.

— Vous savez bien, mon père.

— De quoi parlez-vous ? s'impatienta le curé.

— Pour trépasser l'enfant… c'est vous qui le ferez ?"

Le curé resta sans voix. La vieille, devant ce silence, s'enhardit et lui expliqua que le village pensait que c'était la meilleure chose à faire. Cet enfant était né d'un vaurien. Sa mère venait de mourir. C'était bien là le signe que le Seigneur punissait cet accouplement contre nature. Il valait mieux tuer le petit qui, de toute façon, était entré dans la vie par la mauvaise porte. C'est pour cela qu'ils avaient tout naturellement pensé à lui, don Giorgio. Pour bien montrer qu'il ne s'agissait pas d'une vengeance ou d'un crime. Ses mains à lui étaient pures. Il rendrait simplement au Seigneur ce petit avorton qui n'avait rien à faire ici. La vieille expliqua tout cela avec la plus grande innocence. Don Giorgio était livide. La colère le submergea. Il se rua sur la place du village et se mit à hurler.

"Vous êtes une bande de mécréants ! Qu'une idée aussi odieuse ait pu naître dans vos esprits montre bien que le diable est en vous. Le fils d'Immacolata est une créature de Dieu. Plus que chacun d'entre vous. Une créature de Dieu, vous m'entendez, et soyez maudits si vous touchez à un seul de ses cheveux ! Vous vous dites chrétiens, mais vous êtes des animaux. Vous mériteriez que je vous laisse à votre crasse et que le Seigneur vous punisse. Cet enfant est sous ma protection, vous entendez ? Et qui osera toucher à un seul de ses cheveux aura affaire à la colère divine. Tout ce village pue la crasse et l'ignorance. Retournez à vos champs. Suez comme des chiens puisque vous ne savez faire que cela. Et remerciez le Seigneur de faire pleuvoir de temps à autre, car c'est encore trop pour vous."

Lorsqu'il eut fini, don Giorgio laissa les habitants de Montepuccio à leur hébétude et retourna prendre l'enfant. Le jour même, il l'emmena à San Giocondo, le village le plus proche, un peu plus au nord, sur la côte. Depuis toujours, les deux bourgs étaient ennemis. Les bandes rivales se livraient des batailles légendaires. Les pêcheurs s'affrontaient régulièrement sur mer, se déchirant les filets ou se volant la pêche du jour. Il confia l'enfant à un couple de pêcheurs et revint dans sa paroisse. Lorsqu'une pauvre âme s'inquiéta de ce qu'il en avait fait, un dimanche, sur la place du village, il lui répondit :

“Qu’est-ce que cela peut te faire, cornecul ? Tu étais prêt à l’immoler et maintenant tu t’inquiètes ? Je l’ai porté à ceux de San Giocondo qui valent mieux que vous.”

Durant un mois entier, don Giorgio refusa d’assurer les offices. Il n’y eut ni messe, ni communion, ni confession. “Le jour où il y aura des chrétiens dans ce patelin, je ferai mon devoir”, disait-il.

Mais le temps passa et la colère de don Giorgio s’émoussa. Ceux de Montepuccio, penauds comme des écoliers pris en faute, se pressaient devant les portes de l’église chaque jour. Le village attendait. Tête basse. Lorsque arriva le dimanche des Morts, le curé ouvrit enfin grandes les portes de l’église et pour la première fois depuis longtemps, les cloches volèrent. “Je ne vais tout de même pas punir les morts parce que leurs descendants sont des crétins”, avait maugréé don Giorgio. Et la messe fut dite.

Rocco grandit et devint un homme. Il avait un nouveau nom – mélange du patronyme de son père et de celui des pêcheurs qui l'avaient recueilli –, un nouveau nom qui fut bientôt dans tous les esprits du Gargano : Rocco Scorta Mascalzone. Son père avait été un vaurien, un traîne-savate vivant de petites rapines, lui fut un véritable brigand. Il ne revint à Montepuccio que lorsqu'il fut en âge d'y apporter la terreur. Il attaquait les paysans dans les champs. Volait les bêtes. Assassinait les bourgeois qui s'égaraient sur les routes. Il pillait les fermes, rançonnait les pêcheurs et les commerçants. Plusieurs carabiniers furent lancés à sa poursuite mais ils furent retrouvés sur le bord des routes, une balle dans le crâne, le pantalon baissé, ou accrochés comme des poupées dans les figuiers de Barbarie. Il était violent et affamé. On lui prêtait une vingtaine de femmes. Lorsque sa réputation fut assise et qu'il régna sur toute la région comme un seigneur sur son peuple, il revint à Montepuccio comme un homme qui n'a rien à se reprocher, le visage découvert et le front haut. En vingt ans les rues n'avaient pas changé. Tout semblait devoir rester parfaitement identique à Montepuccio. Le village était toujours ce petit tas de maisons serrées les unes contre les autres. De longs escaliers sinueux descendaient vers la mer. Il y avait mille chemins possibles à travers le lacis de ruelles. Les vieux allaient et venaient du port au village, montant et descendant les hauts escaliers avec la lenteur des mulets qui s'économisent sous le soleil, alors que des grappes d'enfants dévalaient les marches sans jamais se fatiguer. Le village contemplait la mer. La façade de l'église était tournée vers les flots. Le vent et le soleil, année après année, polissaient suavement le marbre des rues. Rocco s'installa sur les hauteurs du village. Il s'appropria un vaste terrain difficile d'accès et y fit construire une belle et grande ferme. Rocco Scorta Mascalzone était devenu riche. A ceux qui parfois le suppliaient de laisser en paix les gens du village et d'aller rançonner ceux des contrées voisines, il répondait toujours la même chose : "Taisez-vous, crapules. Je suis votre châtiment."

C'est un de ces hivers-là qu'il se présenta à don Giorgio. Il était flanqué de deux hommes au visage sinistre et d'une jeune femme au regard craintif. Les hommes portaient pistolets et carabines. Rocco appela le curé et lorsque celui-ci fut face à lui, il lui demanda de le marier. Don Giorgio s'exécuta. Lorsque au milieu de la cérémonie il demanda le nom de la jeune fille, Rocco eut un sourire gêné et lui murmura : “Je ne sais pas, mon père.” Et comme le curé restait là, bouche bée, se demandant s’il n’était pas en train de consacrer par le mariage un enlèvement, Rocco ajouta : “Elle est sourde et muette.

— Pas de nom de famille ? insista don Giorgio.

— Peu importe, répondit Rocco, elle sera bientôt une Scorta Mascalzone.”

Le curé poursuivit sa cérémonie, inquiet à l’idée de commettre quelques fautes profondes dont il aurait à répondre face au Seigneur. Mais il bénit l’union et finit par lancer un “amen” profond, comme on dit “à-Dieu-va” en jetant les dés sur la table de jeu.

A l’instant où le petit groupe allait remonter en selle et disparaître, don Giorgio prit son courage à deux mains et héla le jeune marié.

“Rocco, dit-il, reste un peu avec moi. Je voudrais te parler.”

Il y eut un long silence. Rocco fit signe à ses deux témoins de partir sans lui et d’emmener son épouse. Don Giorgio avait maintenant repris ses esprits et son courage. Quelque chose chez le jeune homme l’intriguait et il sentait qu’il pouvait lui parler. Le brigand qui faisait trembler toute la région avait conservé à son égard une forme de piété, sauvage mais réelle.

“Nous savons, toi et moi, commença le père Zampanelli, comment tu vis. Le pays tout entier est rempli du récit de tes crimes. Les hommes pâlissent à ta vue et les femmes se signent à l'évocation de ton nom. Tu inspires la peur partout où tu vas. Pourquoi, Rocco, terrorises-tu ceux de Montepuccio ?

— Je suis fou, mon père, répondit le jeune homme.

— Fou ?

— Un pauvre bâtard fou, oui. Vous le savez mieux que quiconque. Je suis né d'un cadavre et d'une vieille. Dieu s'est moqué de moi.

— Dieu ne se moque pas de ses créatures, mon fils.

— Il m'a fait à l'envers, mon père. Vous ne le direz pas parce que vous êtes un homme d'Eglise, mais vous le pensez, comme tous les autres. Je suis fou. Oui. Une bête qui n'aurait pas dû naître.

— Tu es intelligent. Tu pourrais choisir d'autres moyens pour te faire respecter.

— Je suis riche, aujourd'hui, mon père. Plus riche qu'aucun de ces crétins de Montepuccio. Et ils me respectent pour cela. C'est plus fort qu'eux. Je leur fais peur, mais ce n'est pas l'essentiel. Au fond d'eux-mêmes, ce n'est pas la peur qu'ils éprouvent, mais l'envie et le respect. Parce que je suis riche. Ils ne pensent qu'à cela. L'argent. L'argent. Et j'en ai plus qu'eux tous réunis.

— Tu es riche de tout cet argent parce que tu le leur as volé.

— Vous voulez me demander de laisser tranquilles vos culs-terreux de Montepuccio mais vous ne savez pas comment le faire parce que vous ne trouvez pas de bonnes raisons à m'exposer. Et vous avez raison, mon père. Il n'y a pas de raison pour que je les laisse en paix. Ils étaient prêts à tuer un enfant. Je suis leur châtiment. Et voilà tout.

— Alors j'aurais dû les laisser faire, rétorqua le curé – que cette idée torturait. Si tu les voles et les assassines aujourd'hui, c'est comme si c'était moi qui le faisais. Je ne t'ai pas sauvé pour que tu fasses cela.

— Ne me dites pas ce que je dois faire, mon père.

— Je te dis ce que le Seigneur veut que tu fasses.

— Qu'il me punisse si ma vie lui est une insulte. Qu'il débarrasse Montepuccio de ma présence.

— Rocco…

— Les fléaux, don Giorgio. Souvenez-vous des fléaux et demandez au Seigneur pourquoi il ronge la terre, parfois, d'incendies ou de sécheresses. Je suis une épidémie, mon père. Rien de plus. Un nuage de sauterelles. Un tremblement de terre, une maladie infectieuse. Tout est sens dessus dessous. Je suis fou. Enragé. Je suis la malaria. Et la famine. Demandez au Seigneur. Je suis là. Et je ferai mon temps."

Rocco se tut, monta sur son cheval et disparut. Le soir même, dans le secret de sa cellule, le père Zampanelli interrogeait le Seigneur de toute la force de sa foi. Il voulait savoir s'il avait bien agi en sauvant l'enfant. Il supplia dans ses prières mais seul le silence du ciel lui répondit.

A Montepuccio, le mythe de Rocco Scorta Mascalzone enfla encore. On raconta que s'il avait choisi une muette pour femme – une muette qui n'était même pas belle –, c'était pour assouvir ses désirs d'animal. Pour qu'elle ne puisse pas crier lorsqu'il la battait et la violait. On racontait aussi que s'il avait choisi cette pauvre créature, c'était pour être certain qu'elle n'entende rien de ses conspirations, ne raconte rien de ce qu'elle savait. Une muette, oui, pour être certain de n'être jamais trahi. C'était bien là le diable, décidément.

Mais on dut reconnaître également que depuis le jour de son mariage, Rocco ne toucha plus à un cheveu des habitants de Montepuccio. Il avait étendu ses activités bien plus loin dans les terres des Pouilles. Et Montepuccio se remit à vivre calmement, fier même d'héberger une telle célébrité. Don Giorgio ne manqua pas de remercier le Seigneur pour ce retour de la paix qu'il prit comme une réponse du Tout-Puissant à ses modestes prières.

Rocco fit trois enfants à la muette : Domenico, Giuseppe et Carmela. Les habitants de Montepuccio ne le voyaient quasiment plus. Il était toujours sur les routes, cherchant à étendre sa zone d'activité. Lorsqu'il revenait dans sa ferme, c'était de nuit. On apercevait les lumières des bougies à travers les fenêtres. On entendait des rires, des bruits de banquets. Cela durait plusieurs jours, puis le silence retombait. Rocco ne descendait jamais au village. Plusieurs fois, la nouvelle de sa mort ou de sa capture circula, mais la naissance d'un nouvel enfant venait la démentir. Rocco était bien en vie. La preuve en était que la Muette venait faire ses courses et que les gamins se poursuivaient dans les ruelles du vieux village. Rocco était bien là, mais comme une ombre. Parfois des étrangers traversaient le village sans dire un mot. Ils étaient à la tête de colonnes de mulets chargés de caisses et de marchandises. Toutes ces richesses affluaient vers la grande propriété taciturne du haut de la colline et s'entassaient là-haut. Rocco était encore là, oui, puisqu'il drainait jusqu'à lui des convois de marchandises volées.

Les enfants Scorta, eux, passaient le plus clair de leur temps au village. Mais ils étaient condamnés à une sorte de quarantaine polie. On leur parlait le moins possible. Les gamins du village étaient priés de ne pas jouer avec eux. Combien de fois les mères de Montepuccio avaient dit à leur progéniture : “Tu ne dois pas jouer avec ces enfants.” Et lorsque l’innocent demandait pourquoi, on lui répondait : “Ce sont des Mascalzone.” Les trois petits avaient fini par accepter, implicitement, cet état des choses. Ils avaient constaté que chaque fois qu’un gamin du village s’approchait d’eux avec l’envie de jouer, une femme sortait de nulle part, le giflait, le tirait par le bras et hurlait : “Crasse de misère, qu’est-ce que je t’ai dit ?” et le malheureux s’éloignait dans les pleurs. Du coup, ils ne jouaient qu’entre eux.

Le seul enfant qui se mêlait à leur petit groupe s’appelait Raffaele, mais tout le monde l’appelait par son diminutif : Faelucc’. C’était un fils de pêcheurs d’une des familles les plus pauvres de Montepuccio. Raffaele avait pris en amitié les Scorta et ne les quittait plus, passant outre à l’interdiction de ses parents. Chaque soir lorsqu’il rentrait, son père lui demandait avec qui il avait traîné, et chaque soir le petit répétait : “Avec mes amis.” Alors, chaque soir, son père le bourrait de coups en maudissant le ciel de lui avoir donné un crétin de fils comme celui-là. Quand le père était absent, c’était la mère qui posait la question rituelle. Et elle frappait plus fort encore. Raffaele tint ainsi un mois. Prenant chaque soir une raclée. Mais le petit avait le cœur sur la main et il lui semblait impensable de passer ses journées à autre chose qu'à accompagner ses amis. Au bout d'un mois, les parents, lassés de frapper, ne posèrent plus aucune question. Ils avaient fait une croix sur leur fils, considérant qu'il ne fallait plus rien attendre de pareille progéniture. Sa mère, désormais, le traitait comme un vaurien. Elle lui disait à table : "Eh, délinquant, passe-moi le pain", et elle le disait sans rire, sans désir de se moquer, comme un simple constat. Cet enfant était perdu et mieux valait considérer qu'il n'était déjà plus tout à fait son fils.

Un jour de février 1928, Rocco apparut au marché. Il vint accompagné de la Muette et de ses trois enfants, habillés comme pour un dimanche. Cette apparition stupéfia le village. Plus personne ne l'avait vu depuis si longtemps. C'était un homme de plus de cinquante ans. Encore robuste. Il portait une belle barbe grisonnante qui cachait ses joues creuses. Son regard n'avait pas changé. Il trahissait toujours, par instants, quelque chose de fiévreux. Sa mise était noble et élégante. Il passa toute la journée au village. Allant d'un café à un autre. Acceptant les cadeaux qu'on lui offrait. Ecoutant les requêtes qu'on lui faisait. Il était calme et son mépris pour Montepuccio semblait avoir disparu. Rocco était là, se promenant d'étal en étal – et tous s'accordaient à dire qu'un tel homme, après tout, ferait un bon maire.

Le jour tomba vite. Une petite pluie froide vint battre le pavé du corso. La famille Scorta Mascalzone remonta dans sa propriété – laissant derrière elle les villageois commenter à l'infini cette apparition inattendue. Lorsque la nuit tomba, la pluie se fit plus dense. Il faisait froid maintenant et la mer était agitée. Le roulis des vagues remontait le long de la falaise.

Don Giorgio avait dîné d'une soupe de pommes de terre. Lui aussi avait vieilli. Il s'était voûté. Les travaux qu'il affectionnait tant – bêcher son lopin de terre, faire des travaux de charpente dans son église –, tous ces travaux physiques dans lesquels il trouvait une forme de paix lui étaient interdits. Il avait beaucoup maigri. Comme si la mort, avant de prendre les hommes, avait besoin de les alléger. C'était un vieillard mais ses paroissiens lui étaient encore dévoués corps et âme et aucun d'eux n'aurait appris la nouvelle d'un remplacement du père Zampanelli sans cracher par terre.

On frappa à la porte de l'église. Don Giorgio sursauta. Il crut d'abord avoir mal entendu – le bruit de la pluie peut-être – mais les coups se firent plus insistants. Il se précipita hors du lit, pensant qu'il devait s'agir d'une extrême-onction.

Devant lui se tenait Rocco Scorta, trempé de la tête aux pieds. Don Giorgio resta immobile, le temps pour lui de dévisager cet homme et de constater à quel point les années avaient passé et modifié ses traits. Il l'avait reconnu mais il voulait observer l'œuvre du temps – comme on observe scrupuleusement le travail d'un orfèvre.

"Mon père, finit par dire Rocco.

— Entre, entre, répondit don Giorgio. Qu'est-ce qui t'amène ?"

Rocco regarda le vieux curé dans les yeux et, d'une voix douce mais ferme, il répondit :
"Je suis venu me confesser."

C'est ainsi que commença, dans l'église de Montepuccio, le face-à-face de don Giorgio et de Rocco Scorta Mascalzone. Cinquante ans après que le premier eut sauvé la vie du second. Sans qu'ils se soient revus depuis que le curé avait célébré le mariage. Et la nuit ne semblait pas assez longue pour contenir tout ce que ces deux hommes avaient à se dire.
"Il n'en est pas question, répondit don Giorgio.
— Mon père…
— Non.
— Mon père, reprit Rocco avec détermination, lorsque nous aurons parlé, vous et moi, je rentrerai chez moi, je m'allongerai et je mourrai. Croyez-moi. Je dis ce qui sera. Ne me demandez pas pourquoi. C'est ainsi. Mon heure est arrivée. Je le sais. Je suis là, face à vous, je veux que vous m'entendiez et vous allez m'entendre parce que vous êtes un serviteur de Dieu et que vous ne pouvez vous substituer au Seigneur."
Don Giorgio était ébahi par la volonté et le calme qui émanaient de son interlocuteur. Il n'y avait rien d'autre à faire que s'exécuter. Rocco s'agenouilla dans l'obscurité de l'église et récita un Notre Père. Puis il releva la tête et se mit à parler. Il raconta tout. Chacun de ses crimes. Chacun de ses méfaits. Sans cacher aucun détail. Il avait tué. Il avait pillé. Il avait pris la femme d'autrui. Il avait vécu par le

feu et la terreur. Sa vie n'était faite que de cela. De vols et de violence. Dans la nuit, don Giorgio ne distinguait pas ses traits mais il se laissait emplir de sa voix, acceptant la longue mélopée de péchés et de crimes qui sortait de la bouche de cet homme. Il lui fallait entendre tout. Rocco Scorta Mascalzone égrena la liste de ses crimes pendant des heures entières. Lorsqu'il eut terminé, le curé fut pris de vertige. Le silence était revenu, il ne savait que dire. Que pouvait-il faire après ce qu'il avait entendu ? Ses mains tremblaient.

"Je t'ai entendu, mon fils, finit-il par murmurer, et je ne pensais pas qu'il me serait donné un jour d'entendre pareil cauchemar. Tu es venu à moi. Je t'ai offert mon écoute. Il n'est pas en mon pouvoir de la refuser à une créature de Dieu, mais t'absoudre, cela je ne peux pas. Tu te présenteras à Dieu, mon fils, et il faudra s'en remettre à sa colère.

— Je suis un homme", répondit Rocco. Et don Giorgio ne sut jamais s'il avait dit cela pour montrer qu'il ne craignait rien ou au contraire pour excuser ses péchés. Le vieux curé était fatigué. Il se leva. Il était nauséeux de tout ce qu'il avait entendu et voulait être seul. Mais la voix de Rocco retentit à nouveau.

"Ce n'est pas fini, mon père.

— Qu'y a-t-il ? demanda don Giorgio.

— Je voudrais faire un don à l'Eglise.

— Quel don ?

— Tout, mon père. Tout ce que je possède. Toutes ces richesses accumulées année après année.

Tout ce qui fait de moi, aujourd'hui, l'homme le plus riche de Montepuccio.

— Je n'accepterai rien de toi. Ton argent suinte le sang. Comment oses-tu seulement le proposer ? Après tout ce que tu viens de me dire. Rends-le à ceux que tu as volés si le repentir t'empêche de dormir.

— Vous savez bien que cela est impossible. La plupart de ceux que j'ai volés sont morts. Et les autres, comment les retrouverais-je ?

— Tu n'as qu'à distribuer cet argent à ceux de Montepuccio. Aux pauvres. Aux pêcheurs et à leurs familles.

— C'est ce que je ferai en vous le donnant. Vous êtes l'Eglise et tous ceux de Montepuccio sont vos enfants. A vous de faire le partage. Si je le fais moi-même, de mon vivant, je donne à ces gens de l'argent sale et je les rends complices de mes crimes. Si c'est vous qui le faites, tout est différent. Entre vos mains, cet argent sera bénit."

Quel était cet homme-là ? Don Giorgio était stupéfié par la façon dont Rocco s'exprimait. Cette intelligence. Cette clarté. Pour un brigand qui n'avait aucune éducation. Il se mit alors à rêver à ce qu'aurait pu devenir Rocco Scorta. Un homme agréable. Charismatique. Avec une lumière dans les yeux qui vous donnait envie de le suivre jusqu'au bout du monde.

"Et tes enfants ? reprit le curé. Tu vas ajouter à la liste de tes crimes celui de dépouiller tes enfants ?"

Rocco sourit et répondit doucement.

“Ce n’est pas un cadeau que de les laisser jouir d’un bien volé. Ce serait les conforter dans le péché.”

L’argument était bon, trop bon même. Don Giorgio sentait que tout cela n’était que rhétorique. Rocco avait parlé en souriant, il ne pensait pas ce qu’il venait de dire.

“Quelle est la vraie raison ?” demanda le curé d’une voix forte où pointait la colère.

C’est alors que Rocco Scorta se mit à rire. D’un rire trop fort qui fit pâlir le vieux curé. Il riait comme un démon.

“Don Giorgio, dit Rocco entre deux éclats de rire, laissez-moi mourir avec quelques secrets.”

Ce rire, le père Zampanelli y repensa longtemps. Ce rire disait tout. C’était un désir de vengeance énorme que rien ne pouvait rassasier. Si Rocco avait pu faire disparaître les siens, il l’aurait fait. Tout ce qui était à lui devait mourir avec lui. Ce rire était celui de la démence de l’homme qui se coupe les doigts. C’était le rire du crime tourné contre soi.

“Sais-tu à quoi tu les condamnes ? demanda encore le curé qui voulait aller jusqu’au bout.

— Oui, répondit froidement Rocco. A vivre. Sans repos.”

Don Giorgio sentit en lui la fatigue des vaincus.

“Soit, dit-il. J’accepte le don. Tout ce que tu possèdes. Ta fortune entière. Soit. Mais ne pense pas te racheter ainsi.

— Non, mon père. Je n’achète pas mon repos. Il ne saurait y en avoir. Je voudrais quelque chose d’autre en échange.

— Quoi donc ? demanda le curé qui était à bout de forces.

— Je fais don à l'Eglise de la plus grande fortune que Montepuccio ait connue. En échange, je demande humblement que les miens, malgré la pauvreté qui les touchera désormais, soient enterrés comme des princes. Juste cela. Les Scorta, après moi, vivront dans la misère puisque je ne laisse rien. Mais que leur enterrement soit fastueux comme aucun autre. A la charge de cette Eglise à qui je donne tout d'honorer sa parole. Qu'elle nous enterre les uns après les autres en procession. Ne vous méprenez pas, don Giorgio, ce n'est pas par orgueil que je demande cela. C'est pour Montepuccio. Je vais engendrer une lignée de crève-la-faim. Ils seront méprisés. Je connais les Montepucciens. Ils ne respectent que l'argent. Clouez-leur le bec en enterrant les plus pauvres d'entre eux avec les honneurs dus aux seigneurs. *Les derniers seront les premiers*. Que cela soit vrai à Montepuccio au moins. De génération en génération. Que l'Eglise se souvienne de son serment. Et que tout Montepuccio enlève son chapeau devant la procession des Mascalzone."

Les yeux de Rocco Scorta brillaient de cet éclat dément qui vous faisait croire que rien ne pouvait lui résister. Le vieux curé alla chercher une feuille et coucha sur le papier les termes de l'accord. Lorsque l'encre fut sèche, il tendit le papier à Rocco, se signa et dit : "Qu'il en soit ainsi."

Le soleil chauffait déjà la façade de l'église. La lumière inondait la campagne. Rocco Scorta et don Giorgio avaient passé la nuit à parler. Ils se séparèrent sans un mot. Sans accolade. Comme s'ils devaient se revoir le soir même.

Rocco rentra chez lui. La famille était déjà levée. Il ne dit pas un mot. Il passa la main dans les cheveux de sa fille, la petite Carmela, qui fut surprise de ce geste d'affection qu'elle ne lui connaissait pas et qui le regarda avec de grands yeux attentifs, puis il s'alita. Il ne se releva plus. Il refusa qu'on fasse venir un médecin. Lorsque la Muette, voyant la fin approcher, voulut aller chercher le curé, il la retint par le bras et lui dit : "Laisse dormir don Giorgio. Il a eu une nuit difficile." Tout au plus accepta-t-il que sa femme fasse venir deux vieilles pour l'aider à le veiller. Ce sont elles qui répandirent la nouvelle. "Rocco Scorta est à l'agonie. Rocco Scorta se meurt." Le village n'y croyait pas. Chacun se souvenait de l'avoir vu la veille, élégant, disponible et robuste. Comment la mort avait-elle pu se glisser dans ses os si vite ?

La rumeur courait partout maintenant. Les habitants de Montepuccio, piqués par la curiosité, finirent par monter à la propriété. Ils voulaient en avoir le cœur net. Une longue colonne de curieux se pressait autour de la maison. Au bout d'un certain temps, les plus hardis entrèrent. Et ils furent bientôt suivis par tous les autres. Une foule de badauds faisait irruption dans la maison sans que l'on puisse dire si c'était pour rendre hommage au moribond ou au contraire pour vérifier avec bonheur qu'il était bien en train d'agoniser.

Lorsqu'il vit entrer la foule des curieux, Rocco se dressa sur son lit. Il concentra ses dernières forces. Son visage était blanc et son corps sec. Il observait la foule devant lui. On pouvait lire dans ses yeux des élans de rage. Personne n'osait plus bouger. Alors le moribond se mit à parler :

"Je descends dans la tombe. La liste de mes crimes est une longue traîne qui glisse sur mes pas. Je suis Rocco Scorta Mascalzone. Je souris fièrement. Vous attendez de moi des remords. Vous attendez que je me mette à genoux et prie pour ma rédemption. Que j'implore la clémence du Seigneur et demande pardon à ceux que j'ai offensés. Je crache par terre. La miséricorde de Dieu est une eau facile dans laquelle les lâches se lavent le visage. Je ne demande rien. Je sais ce que j'ai fait. Je sais ce que vous pensez. Vous allez dans vos églises. Vous observez les fresques des enfers qu'on y a peintes pour vos esprits crédules. Les diablotins tirant par les pieds les âmes sales. Les monstres cornus, fourchus, aux pieds de bouc, dépeçant avec jubilation des corps de suppliciés. Ils les fessent. Ils les mordent. Ils les tordent comme des poupées. Les damnés demandent pardon, s'agenouillent, supplient comme des femmes. Mais les diables aux yeux de bêtes ne connaissent aucune pitié. Et cela vous fait plaisir. Car il doit en être ainsi. Cela vous plaît car vous y voyez une justice. Je descends au tombeau et c'est à cette interminable déclinaison de cris et de tortures que vous me vouez. Rocco subira bientôt le châtiment des fresques de nos églises, vous dites-vous. Et pour l'éternité. Et pourtant, je ne tremble pas. Je souris de ce sourire qui vous a tant glacés, du temps où je vivais. Je ne crains pas vos fresques. Les diablotins n'ont jamais hanté mes nuits. J'ai péché. J'ai tué et violé. Qui a arrêté mon bras ? Qui m'a plongé dans le néant pour débarrasser la terre de ma présence ? Personne. Les nuages ont continué à traverser le ciel. Il a fait beau les jours où j'avais du sang sur les mains. Il a fait beau de cette lumière qui semble un pacte entre le monde et le Seigneur. Quel pacte est possible dans un monde où je vis ? Non, le ciel est vide et je peux mourir en souriant. Je suis un monstre à cinq pattes. J'ai des yeux de hyène et des mains de tueur. J'ai fait reculer Dieu partout où j'allais. Il s'est effacé sur mon passage comme vous l'avez fait, dans les rues de Montepuccio, en serrant vos enfants contre vous. Il pleut aujourd'hui et je quitte le monde sans un regard. J'ai bu. J'ai joui. J'ai roté dans le silence des églises.

J'ai dévoré avec avidité tout ce que je pouvais prendre. Aujourd'hui devrait être un jour de fête. Le ciel aurait dû s'ouvrir et les trompettes des archanges retentir avec fracas pour fêter la nouvelle de ma mort. Mais rien. Il pleut. A croire que Dieu est triste de me voir disparaître. Foutaises. J'ai vécu longtemps parce que le monde est à mon image. Tout est sens dessus dessous. Je suis un homme. Je n'espère rien. Je mange ce que je peux. Rocco Scorta Mascalzone. Et vous qui me méprisez, vous qui me vouez aux pires tortures, vous avez fini par prononcer mon nom avec admiration. L'argent que j'ai accumulé y est pour beaucoup. Car si vous crachez sur mes crimes, vous ne pouvez réprimer en vous le vieux respect puant de l'homme pour l'or. Oui. J'en ai. Plus qu'aucun d'entre vous. J'en ai. Et je ne laisse rien. Je disparais avec mes couteaux et mes rires de violeur. J'ai fait ce que j'ai voulu. Tout au long de ma vie. Je suis Rocco Scorta Mascalzone. Réjouissez-vous, je meurs."

Lorsqu'il eut achevé ses derniers mots, il se renversa sur son lit. Ses forces l'abandonnèrent. Il mourut les yeux ouverts. Au milieu du silence des Montepucciens, médusés. Il ne râla pas. Ne gémit pas. Il mourut le regard droit.

L'enterrement fut fixé au lendemain. C'est alors que Montepuccio connut sa plus grande surprise. Des hauteurs de la ferme des Scorta montait la musique lancinante d'une procession et les habitants virent bientôt arriver un long cortège endeuillé à la tête duquel le vieux père Zampanelli agitait un bel encensoir d'argent qui emplissait les rues d'une odeur lourde et sacrée. Le cercueil était porté par six hommes. On avait sorti la statue du saint patronal, Sant'Elia, portée par dix autres hommes. Les musiciens jouaient les chants les plus tristes du pays au pas lent des marches cadencées. Jamais personne n'avait été enterré ainsi à Montepuccio. La procession remonta le corso, fit une station sur la place centrale, s'engouffra dans les rues étroites du vieux village où elle fit une boucle. Elle revint ensuite sur la place, s'arrêta à nouveau, reprit le corso et entra enfin dans l'église. Puis, après une courte cérémonie durant laquelle le curé annonça que Rocco Scorta Mascalzone avait fait don de sa fortune à l'Eglise – ce qui provoqua un brouhaha de stupéfaction et de commentaires –, le cortège s'ébranla à nouveau au son poignant des cuivres. Les cloches de l'église ponctuaient les mélodies plaintives de l'orchestre. Tout le village était là. Et dans tous les esprits, les mêmes questions se posaient à l'infini : s'agissait-il vraiment de toute sa fortune ? Combien cela faisait-il ? Qu'allait en faire le curé ? Qu'allait devenir la Muette ? Et les trois enfants ? Ils scrutaient le visage de la pauvre femme pour essayer de deviner si elle était au courant des dernières volontés de son mari, mais rien ne transparaissait dans les traits fatigués de la veuve. Tout le village était là et Rocco Scorta sourit dans sa tombe. Il avait mis une vie entière mais il était parvenu à ce qu'il avait désiré durant toute son existence : mettre Montepuccio à sa botte. Tenir le village dans sa main. Par l'argent puisque l'argent était le seul moyen. Et lorsque enfin ces culs-terreux avaient cru le cerner, lorsqu'ils s'étaient même mis à l'aimer, à lui donner du "don Rocco", lorsqu'ils avaient commencé à honorer sa fortune et à lui baiser les mains, il avait tout brûlé dans un grand éclat de rire. C'était là ce qu'il avait tant désiré. Oui, Rocco sourit dans sa tombe, sans plus se soucier de ce qu'il laissait derrière lui.

Pour ceux de Montepuccio, la chose était claire. Rocco Scorta avait transformé la malédiction qui frappait sa race. La lignée des Mascalzone était une lignée de bâtards, condamnés à la folie. Rocco avait été le premier mais les autres, à n'en pas douter, seraient pires. Par le don de sa fortune, Rocco

Scorta avait voulu modifier cette malédiction : les siens, désormais, ne seraient plus fous, mais pauvres. Et pour tout Montepuccio, cela semblait respectable. Rocco Scorta ne s'était pas dérobé. Le prix à payer était élevé mais juste. Il offrait désormais à ses enfants la possibilité d'être de bons chrétiens.

Devant la tombe de leur père, les trois enfants restaient serrés les uns contre les autres. Raffaele était là aussi, tenant la main de Carmela. Ils ne pleuraient pas. Aucun d'eux ne ressentait de réelle douleur pour la mort de leur père. Ce n'était pas le chagrin qui leur faisait serrer les mâchoires, c'était la haine. Ils comprenaient que tout leur avait été enlevé et que désormais, ils ne pourraient compter que sur leurs propres forces. Ils comprenaient qu'une volonté sauvage les condamnait à la misère et que cette volonté était celle de leur père. Domenico, Giuseppe et Carmela fixaient le trou dans la terre, à leurs pieds, et ils sentaient qu'ils enterraient leur vie tout entière. De quoi vivraient-ils demain ? Avec quel argent et où, puisque même la ferme avait été donnée ? De quelle force allait-il falloir être pour livrer les combats qui se préparaient ? Ils se tenaient serrés les uns contre les autres, pleins de haine pour les jours à venir. Ils l'avaient compris. Ils le sentaient déjà dans les regards qu'on leur lançait : ils étaient pauvres, désormais. Pauvres à en crever.

J'aime venir ici. Je suis venue tant de fois. C'est un vieux terrain où ne poussent que les herbes folles, balayées par le vent. On aperçoit encore quelques lumières du village. A peine. Et le haut du campanile de l'église, là-bas. Il n'y a rien ici. Que ce vieux meuble en bois, à moitié enfoncé dans la terre. C'est là que je voulais vous amener, don Salvatore. C'est là que je voudrais que nous nous asseyions. Vous savez ce qu'est ce meuble ? C'est l'ancien confessionnal de l'église, celui qui était utilisé à l'époque de don Giorgio. Il a été remplacé par votre prédécesseur. Les hommes chargés du déménagement l'ont sorti de l'église et l'ont laissé là. Personne n'y a jamais touché. Il s'est détérioré. La peinture est partie. Le bois a vieilli. Il s'est affaissé dans la terre. Je m'y assois souvent. Il est de mon temps.

Je ne me confesse pas, don Salvatore, ne vous méprenez pas. Si je vous ai amené ici, si je vous demande de vous asseoir à mes côtés sur ce vieux banc de bois, ce n'est pas pour avoir votre bénédiction.

Les Scorta ne se confessent pas. Mon père fut le dernier. Ne froncez pas les sourcils, je ne vous insulte pas. Je suis simplement la fille de Rocco et même si je l'ai longtemps détesté, cela ne change rien. Son sang coule en moi.

Je me souviens de lui sur son lit de mort. Son corps brillait de sueur. Il avait le teint pâle. La mort lui courait déjà sous la peau. Il a pris le temps de regarder tout autour de lui. Le village entier se pressait dans la petite chambre. Son regard a glissé sur sa femme, ses enfants et la foule de ceux qu'il avait terrorisés et il a dit avec un sourire de moribond : "Réjouissez-vous. Je meurs." Ces mots-là m'ont brûlée comme une gifle au visage. "Réjouissez-vous. Je meurs." Les Montepucciens sûrement se sont réjouis, mais nous trois, au bord du lit, nous l'avons regardé avec de grands yeux vides. Quelle joie allions-nous connaître ? Pourquoi nous réjouirions-nous de sa disparition ? Cette phrase nous était adressée à tous indifféremment. Rocco a toujours été seul face au reste du monde. J'aurais dû le détester. N'avoir pour lui que la haine des enfants insultés. Mais je n'ai pas pu, don Salvatore. Je me suis souvenue d'un geste qu'il avait eu. Juste avant de s'aliter pour mourir, il a passé la main dans mes cheveux. Sans rien dire. Il ne le faisait jamais. Il a glissé sa main d'homme sur ma tête, doucement, et je n'ai jamais su si ce geste était une malédiction supplémentaire ou la marque d'une affection. Je n'ai jamais pu choisir. J'ai fini par considérer qu'il avait fait les deux en même temps. Il m'a caressée comme un père caresse sa fille et il a déposé le malheur dans mes cheveux comme un ennemi l'aurait fait. C'est par ce geste que je suis la fille de mon père. Il ne l'a pas fait avec mes frères. Je suis la seule à avoir été marquée. C'est sur moi qu'a pesé tout le poids. Je suis la seule à être la fille de mon père. Domenico et Giuseppe sont nés doucement au fil des années. Comme si aucun parent ne les avait enfantés. Pour moi, il y a eu ce geste. Il m'a choisie. Je suis fière de cela et qu'il l'ait fait pour me maudire ne change rien. Est-ce que vous pouvez comprendre cela ?

Je suis la fille de Rocco, don Salvatore. N'attendez de moi aucune confession. Le pacte entre l'Eglise et les Scorta est rompu. Je vous ai amené jusqu'à ce confessionnal à ciel ouvert parce que je ne voulais pas vous retrouver dans l'église. Je ne voulais pas vous parler tête baissée, avec la voix tremblante des pénitents. C'est un lieu comme celui-là qui convient aux Scorta. Le vent souffle. La nuit nous entoure. Personne ne nous entend que les pierres sur lesquelles ricochent nos voix. Nous sommes assis sur un bois maltraité par les années. Ces planches vernies ont entendu tant de confessions que la douleur du monde les a patinées. Des milliers de voix timides ont murmuré leurs crimes, ont avoué leurs fautes, ont dévoilé leur laideur. C'est ici que don Giorgio les écoutait. C'est ici qu'il a écouté mon père, jusqu'à la nausée, le soir de sa confession. Tous ces mots, don Salvatore, ont imprégné ces planches de bois. Les soirs de vent comme aujourd'hui, je les entends ressurgir. Les milliers de murmures fautifs accumulés au fil des années, les pleurs ravalés, les confessions honteuses, tout ressort. Comme de longues brumes de douleur dont le vent parfume les collines. Cela m'aide, moi. Je ne peux parler qu'ici. Sur ce vieux banc. Je ne peux parler qu'ici. Mais je ne me confesse pas. Parce que je n'attends de vous aucune bénédiction. Je ne cherche pas à être lavée de mes fautes. Elles sont là, en moi. Je les emmènerai dans la mort. Mais je veux que les choses soient dites. Puis je disparaîtrai. Il restera peut-être un parfum dans le vent, les soirs d'été. Le parfum d'une vie qui se mêlera aux odeurs de rocailles et d'herbes sauvages.

III

LE RETOUR DES MISÉREUX

"Attendez, hurla Giuseppe, attendez !"
Domenico et Carmela s'arrêtèrent, se retournèrent et contemplèrent leur frère qui sautillait sur un pied quelques mètres plus loin.
"Qu'y a-t-il ? demanda Domenico.
— J'ai un gravier dans ma chaussure."
Il s'était assis sur le bord de la route et entreprenait de défaire ses lacets.
"Ça fait deux heures au moins qu'il me torture, ajouta-t-il.
— Deux heures ? demanda Domenico.
— Oui, confirma Giuseppe.
— Et tu ne peux pas tenir encore un peu ? On y est presque.
— Tu veux que je rentre au pays en boitant ?"
Domenico lâcha d'un ton sans appel un magistral *"Ma va fan'culo* !"* qui fit rire sa sœur aux éclats.
Ils firent une halte sur le bord de la route et au fond ils étaient heureux de cette occasion qui leur

* "Va te faire enculer !"

était offerte de reprendre leur souffle et de contempler le bout de chemin qu'il restait à faire. Ils bénissaient ce petit caillou qui torturait Giuseppe car c'était le prétexte qu'ils attendaient. Giuseppe s'était déchaussé avec lenteur, comme pour mieux déguster cet instant. L'essentiel était ailleurs. Montepuccio était maintenant à leurs pieds. Ils contemplaient leur village natal avec une sorte d'appétit des yeux dans lesquels brillait l'appréhension. Cette peur intime, c'était la peur des émigrés à l'heure du retour. La vieille peur irrépressible que tout, en leur absence, ait été englouti. Que les rues ne soient plus telles qu'ils les avaient quittées. Que ceux qu'ils connaissaient aient disparu ou, pire, les accueillent avec une moue de dégoût et des yeux sales qui disent : "Tiens, vous voilà, vous ?" C'est cette peur-là qu'ils partageaient sur le bord de la route et le petit caillou de la chaussure de Giuseppe était l'outil de la Providence. Car chacun d'entre eux voulait avoir le temps d'embrasser du regard le village, de reprendre son souffle, et de se signer avant d'entreprendre la descente.

Un an à peine s'était écoulé depuis leur départ mais ils avaient vieilli. Leur visage s'était durci. Leur regard avait acquis une force rude. Toute une vie s'était écoulée, une vie de détresse, de débrouille et de joies inattendues.

Domenico, que tout le monde appelait "Mimi va fan'culo" parce que chacune de ses phrases se terminait par cette injonction qu'il prononçait d'une façon traînante, comme si ce n'était pas une insulte mais un nouveau signe de ponctuation, Domenico était devenu un homme. On lui aurait donné dix ans de plus que les dix-huit ans qu'il avait. Le visage épais, sans beauté, il avait un regard perçant qui semblait fait pour juger de la valeur de son interlocuteur. Il était fort et ses mains étaient larges, mais toute son énergie, il la mettait à cela : pouvoir dire au plus vite à qui il avait affaire. "Pouvait-on avoir confiance en cet homme ?", "Y avait-il là moyen de faire un peu d'argent ?", ces questions ne se formulaient plus dans son esprit, elles étaient comme passées dans son sang.

Giuseppe, lui, avait gardé ses traits d'enfant. Plus jeune de deux ans, il avait encore, malgré les mois passés, un visage rond et poupin. Dans le petit groupe, il mettait d'instinct tout son être à désarmer les conflits. Il était souvent joyeux et plein d'une telle confiance en son frère et sa sœur que rares furent les occasions où il se prit à désespérer du lendemain. On l'avait surnommé "Peppe pancia piena" parce qu'avoir la panse pleine était l'état qu'il aimait le plus au monde. Manger à sa faim, et au-delà, était son obsession. Une journée était déclarée bonne lorsqu'on avait pu faire un repas digne de ce nom. A deux repas, la journée était exceptionnelle et elle plongeait Giuseppe dans une bonne humeur qui pouvait l'accompagner pendant plusieurs jours. Combien de fois, sur la route qui les menait de Naples à Montepuccio, combien de fois n'avait-il pas souri en se remémorant le plat de gnocchis ou de pâtes qu'il avait dévoré la veille ? Et il se mettait alors à parler tout seul, dans la poussière du chemin, souriant comme un béat, comme s'il ne sentait plus la fatigue, retrouvant une force intérieure joyeuse qui lui faisait hurler d'un coup : *"Madonna, che pasta !..."* Et de demander avec avidité à son frère : "Tu te souviens, Mimi ?" S'ensuivait alors le descriptif interminable des pâtes en question, de leur texture, de leur goût, de la sauce qui allait avec, et il insistait : "Tu te souviens, Mimi, avec le *sugo*, là, bien rouge ? On sentait la viande qui avait mijoté dedans, tu te souviens ?" et Mimi, excédé par ce délire d'halluciné, finissait par lâcher : "*Ma va fan'culo*, toi et tes pâtes !" Manière de dire qu'il y avait de la route, que les jambes faisaient mal et qu'on ne savait pas, justement, quand on pourrait en remanger d'aussi bonnes, des pâtes.

Carmela, que ses frères appelaient affectueusement Miuccia, était encore une enfant. Elle en avait le corps et la voix. Mais ces derniers mois l'avaient transformée davantage que ses deux frères. Elle avait été à l'origine des plus grands malheurs et des plus grandes joies qu'avait connus le petit groupe durant son périple. Personne ne lui en avait jamais fait le reproche, mais elle l'avait compris : tout avait été de sa faute. Et tout aussi avait été sauvé *in extremis* grâce à elle. Cela avait fait naître en elle un sens des responsabilités et une intelligence qui n'étaient pas de son âge. Au quotidien, elle restait une petite fille, riant aux blagues de ses frères, mais lorsque le sort s'acharnait sur eux, elle donnait les ordres et serrait les dents. C'est elle qui, sur la route du retour, tenait les brides de l'âne. Les deux frères avaient mis entre ses mains tout ce qu'ils possédaient. L'âne et l'amas d'objets de toute sorte qu'il transportait. On apercevait des valises. Une théière. Des assiettes en porcelaine de Hollande. Une chaise tressée. Toute une batterie de casseroles en cuivre. Des couvertures. L'âne portait sa charge consciencieusement. Aucun de ces objets, pris un par un, n'avait une grande valeur, mais tous ensemble, c'était le monticule de leur vie. C'est elle également qui portait la bourse dans laquelle ils avaient mis le pécule accumulé durant leur voyage. Carmela veillait sur ce trésor avec l'avidité des pauvres.

"Vous croyez qu'ils auront allumé les lampions ?"

La voix de Giuseppe venait de rompre le silence des collines. Trois jours plus tôt, ils avaient été dépassés par un cavalier. Après avoir un peu discuté, les Scorta expliquèrent qu'ils rentraient chez eux, à Montepuccio. Le cavalier avait alors promis d'annoncer leur retour. C'est à cela que pensait Giuseppe. Allumer les lampions, sur le corso Garibaldi, comme on le faisait les jours où les émigrés revenaient. Allumer les lampions pour fêter le retour des "Américains".

"Bien sûr que non, répondit Domenico. Les lampions...", ajouta-t-il avec un haussement d'épaules. Et le silence les enveloppa à nouveau.

Bien sûr que non. Il ne fallait pas espérer de lampions pour les Scorta. Giuseppe eut l'air triste un instant. Domenico avait dit cela avec un ton qui ne semblait soutenir aucune contestation. Mais il y avait pensé, lui aussi. Et il y pensait à nouveau. Oui. Les lampions. Rien que pour eux. Et tout le village qui serait là. La petite Carmela y pensait aussi. Pénétrer sur le corso Garibaldi, et reconnaître les visages, pleins de larmes et de sourires. Ils y rêvaient tous les trois. Oui. Tout de même. Les lampions. Ce serait beau.

Le vent s'était levé, balayant les odeurs des collines. Les dernières lueurs du jour disparaissaient doucement. Alors, sans rien dire, d'un seul mouvement, ils se remirent en marche, comme aimantés par le village, impatients et peureux à la fois.

Ils entrèrent dans Montepuccio de nuit. Le corso Garibaldi était là, devant eux, tel qu'ils l'avaient laissé dix mois plus tôt. Mais il était vide. Le vent s'engouffrait dans l'artère et venait siffler sur la tête des chats qui se carapataient en courbant l'échine. Il n'y avait plus âme qui vive. Le village dormait et le pas des sabots de l'âne résonnait avec le son exact de la solitude.

Domenico, Giuseppe et Carmela avançaient, mâchoires serrées. Ils n'avaient pas le cœur de se regarder. Ils n'avaient pas le cœur de parler. Ils s'en voulaient de s'être laissés aller à cet espoir stupide – les lampions… mais quels foutus lampions ?… – et maintenant ils serraient les poings, en silence.

Ils passèrent devant ce qui était encore à leur départ la mercerie de Luigi Zacalonia. Manifestement, il était arrivé quelque chose : l'enseigne était à terre, les carreaux cassés. Plus rien ici ne se vendait ou ne s'achetait. Cela leur fut désagréable. Non pas qu'ils aient été de fidèles clients mais tout changement à Montepuccio leur semblait de mauvais augure. Ils voulaient tout revoir tel qu'ils l'avaient quitté. Que le temps n'ait rien endommagé en leur absence. Si Luigi Zacalonia ne tenait plus sa mercerie, Dieu seul savait à quelles autres déconvenues il fallait s'attendre.

Lorsqu'ils furent un peu plus avancés dans le corso, ils aperçurent la silhouette d'un homme blotti contre un mur qui s'était endormi là, au milieu des courants d'air. Ils pensèrent d'abord à un ivrogne, mais lorsqu'ils furent à quelques pas de lui, Giuseppe se mit à crier : "Raffaele ! C'est Raffaele." Cela fit sursauter le garçon. Il se leva d'un bond. Les Scorta hurlaient de joie. Les yeux de Raffaele brillaient de bonheur mais il ne cessait de s'insulter. Il était mortifié d'avoir si lamentablement raté l'arrivée de ses amis. Il s'était préparé à cet instant, se promettant de veiller toute la nuit s'il le fallait, puis, peu à peu, ses forces l'avaient quitté et il avait sombré dans le sommeil.

"Vous êtes là..., disait-il les larmes aux yeux, Mimi, Peppe... vous êtes là... Mes amis, laissez-moi vous regarder ! Miuccia ! Et moi qui dormais. Quel couillon je fais. Je voulais vous voir arriver de loin..."

Ils s'embrassaient, se touchaient, se tapaient dans le dos. Une chose au moins n'avait pas changé à Montepuccio puisque Raffaele était là. Le jeune homme ne savait plus où donner de la tête. Il ne remarqua même pas l'âne et le monticule qu'il transportait. Il avait tout de suite été frappé par la beauté de Carmela mais cela ajoutait à son trouble et à ses bégaiements.

Raffaele finit par réussir à articuler quelques mots. Il pria ses amis d'accepter de venir chez lui. Il était tard. Le village dormait. Les retrouvailles des Scorta et de Montepuccio pouvaient bien attendre le lendemain. Les Scorta acceptèrent son invitation et durent lutter pour que leur ami ne prenne pas sur son dos tous les sacs et valises qu'il trouvait. Il habitait maintenant dans une petite maison basse, près du port. Une maison misérable, creusée dans la roche et peinte à la chaux. Raffaele avait préparé une surprise. Depuis qu'il avait appris l'arrivée imminente des Scorta, il s'était mis à l'œuvre, sans relâche. Il avait acheté de grosses miches de pain blanc. Fait mijoter une sauce à la viande. Préparé des pâtes. Il voulait un festin pour accueillir ses amis.

Lorsqu'ils furent tous installés autour de la petite table en bois et que Raffaele eut apporté un grand plat d'*orecchiette* faites à la main, baignant dans une épaisse sauce tomate, Giuseppe se mit à pleurer. Il retrouvait les saveurs de son village. Il retrouvait son vieil ami. Il ne lui fallait rien de plus. Et tous les lampions du corso Garibaldi ne l'auraient pas comblé davantage que cette assiette pleine d'*orecchiette* fumantes qu'il s'apprêtait à dévorer.

Ils mangèrent. Ils croquèrent dans les grandes tranches de pain blanc que Raffaele avait frottées de tomates, d'huile d'olive et de sel. Ils laissèrent fondre dans leur bouche les pâtes qui dégoulinaient de sauce. Ils mangèrent sans s'apercevoir que Raffaele les contemplait, l'air triste. Au bout d'un temps, Carmela remarqua le silence de leur ami.

"Qu'y a-t-il, Raffaele ?" demanda-t-elle.

Le jeune homme sourit. Il ne voulait pas parler avant que ses amis aient fini de manger. Ce qu'il avait à dire pouvait bien encore attendre quelques instants. Il voulait les voir finir leur repas. Que Giuseppe se régale. Qu'il ait le temps et le plaisir de lécher son plat avec satisfaction.

"Raffaele ? insista Carmela.

— Alors, New York, dites-moi, comment c'était, New York ?"

Il avait lancé la question avec un enthousiasme feint. Il essayait de gagner du temps. Carmela ne s'y trompa pas.

"Toi d'abord, Raffaele. Dis ce que tu as à dire."

Les deux frères relevèrent la tête de leur assiette. Le ton de leur sœur les avait avertis que quelque chose d'inattendu se jouait. Tout le monde contemplait Raffaele. Son visage était pâle.

"Ce que j'ai à vous dire…", murmura-t-il sans pouvoir finir sa phrase. Les Scorta étaient immobiles. "Votre mère… La Muette…, continua-t-il, voilà maintenant deux mois qu'elle s'en est allée."

Il baissa la tête. Les Scorta ne disaient rien. Ils attendaient. Raffaele comprit qu'il devait en dire davantage. Il fallait tout raconter. Alors il releva les yeux et sa voix endeuillée emplit la pièce de tristesse.

La Muette souffrait de fièvre malarique. Pendant les premières semaines qui suivirent le départ de ses enfants, elle avait fait face, mais très vite ses forces déclinèrent. Elle chercha à gagner du temps. Elle espérait tenir jusqu'au retour des siens. Jusqu'au jour, au moins, où elle aurait des nouvelles mais elle n'y parvint pas et succomba à une crise violente.

"Est-ce que don Giorgio l'a enterrée dignement ?" demanda Domenico.

Sa question resta un long temps sans réponse. Raffaele était à la torture. Ce qu'il avait à dire lui tordait l'estomac. Mais il fallait boire la coupe jusqu'à la lie et ne rien taire.

"Don Giorgio est mort bien avant elle. Il est mort comme un vieillard, le sourire aux lèvres et les mains croisées sur le corps.

— Comment a été enterrée notre mère ? demanda Carmela qui sentait que si Raffaele n'avait pas répondu à la question, c'est que ce silence cachait un fléau supplémentaire.

— Je n'ai rien pu faire, murmura Raffaele. Je suis arrivé trop tard. J'étais sorti en mer. Deux jours pleins. Lorsque je suis revenu, elle était déjà enterrée. C'est le nouveau curé qui s'en est chargé. Ils l'ont enterrée dans la fosse commune. Je n'ai rien pu faire."

Les Scorta avaient maintenant le visage durci par la rage. Les mâchoires serrées. Le regard noir.

Ce mot “fosse commune” claquait dans leur crâne comme une gifle.

“Comment s’appelle le nouveau curé ? demanda Domenico.

— Don Carlo Bozzoni, répondit Raffaele.

— Nous irons le trouver demain”, affirma Domenico et tous sentirent à sa voix qu’il savait déjà ce qu’il demanderait mais qu’il ne voulait pas en parler ce soir.

Ils allèrent se coucher sans finir le repas. Aucun d’eux ne pouvait plus rien dire. Il fallait faire silence et accepter de se laisser envahir par la douleur des endeuillés.

Le lendemain, Carmela, Giuseppe, Domenico et Raffaele se levèrent pour matines. Ils trouvèrent le nouveau curé dans l'air froid du matin.

"Mon père, s'exclama Domenico.

— Oui, mes enfants, que puis-je pour vous ? répondit-il d'une voix sucrée.

— Nous sommes les enfants de la Muette.

— De qui ?

— La Muette.

— Ce n'est pas un nom, reprit don Carlo avec un léger sourire sur les lèvres.

— C'était le sien, coupa sèchement Carmela.

— Je vous demande son nom de chrétienne, reprit le curé.

— Elle n'en avait pas d'autre.

— Que puis-je pour vous ?

— Elle est morte il y a quelques mois, dit Domenico. Vous l'avez enterrée dans la fosse commune.

— Je me souviens. Oui. Toutes mes condoléances, mes enfants. N'ayez pas de chagrin, votre mère est maintenant aux côtés de Notre-Seigneur.

— C'est pour l'enterrement que nous venons vous voir, coupa à nouveau Carmela.

— Vous l'avez dit vous-mêmes, elle a été enterrée dignement.

— C'est une Scorta.

— Oui. Une Scorta. Soit. Très bien. Vous voyez, du reste, qu'elle a un nom.

— Il faut l'enterrer comme une Scorta, reprit Carmela.

— Nous l'avons enterrée comme une chrétienne", corrigea don Bozzoni.

Domenico était blanc de rage. Il dit d'une voix cassante :

"Non, mon père. Comme une Scorta. C'est écrit ici."

Il tendit alors à don Bozzoni le papier sur lequel Rocco et don Giorgio avaient signé leur pacte. Le curé le lut en silence. La colère lui monta aux joues et le fit exploser :

"Qu'est-ce que ça veut dire, des choses pareilles ? C'est inimaginable ! De la superstition, voilà ce que c'est. De la magie, je ne sais quoi. Au nom de quoi ce don Giorgio a-t-il signé pour l'Eglise ? Un hérétique, oui. Une Scorta ! La belle affaire. Et vous vous dites chrétiens. Des païens pleins de cérémonies secrètes, voilà ce que sont les gens d'ici. Une Scorta ! Elle a été plongée dans la terre, comme les autres. Et c'est tout ce qu'elle pouvait espérer.

— Mon père..., tenta Giuseppe, l'Eglise a fait un pacte avec notre famille."

Mais le curé ne le laissa pas parler. Il hurlait déjà :

“C’est de la démence. Un pacte avec les Scorta. Vous délirez.”

D’un geste brusque il se fraya un passage jusqu’à la porte de l’église et disparut.

L'absence des Scorta les avait empêchés de s'acquitter d'un devoir sacré : creuser eux-mêmes le trou pour enterrer leur mère. La piété filiale exige ce dernier geste de la part des fils. Maintenant qu'ils étaient revenus, ils étaient décidés à honorer la dépouille de leur mère. La solitude, la fosse commune, le pacte bafoué, c'était trop d'affronts. Ils convinrent que la nuit même, ils s'armeraient de pelles et iraient déterrer la Muette. Qu'elle repose dans un trou à elle, creusé par ses fils. Et tant pis si c'était à l'extérieur de l'enceinte du cimetière. Mieux valait cela que la terre sans nom d'une fosse commune pour l'éternité.

La nuit tombée, ils se retrouvèrent comme convenu. Raffaele avait apporté des pelles. Il faisait froid. Ils se glissèrent comme des voleurs dans l'enceinte du cimetière.

"Mimi ? demanda Giuseppe.

— Qu'y a-t-il ?

— Tu es bien sûr que nous ne commettons pas un crime ?"

Avant même que Domenico ait pu répondre à son frère, la voix de Carmela retentit.

"C'est cette fosse commune qui est un sacrilège."

Giuseppe prit alors sa pelle avec détermination et conclut :

"Tu as raison, Miuccia. Il n'y a pas à hésiter."

Ils creusèrent dans la terre froide de la fosse commune, sans un mot. Chaque pelletée devenait plus dure à soulever au fur et à mesure qu'ils avançaient. Il leur semblait qu'ils risquaient à tout moment de réveiller le peuple immense des morts. Ils essayaient de ne pas trembler. De ne pas chanceler face aux effluves écœurants qui montaient de la terre.

Leurs pelles heurtèrent enfin le bois d'un cercueil. Il leur fallut une force obstinée pour l'extraire. Sur la planche de pin du dessus, on avait écrit au couteau "Scorta". Leur mère était là. Dans cette boîte laide. Enterrée comme une misérable. Sans marbre ni cérémonie. Ils la hissèrent sur leurs épaules comme des clandestins affairés et sortirent du cimetière. Ils longèrent un temps le mur d'enceinte jusqu'à atteindre un petit terre-plein d'où personne ne pouvait plus les voir. C'est là qu'ils la déposèrent. Il ne restait plus qu'à creuser un trou. Que la Muette sente le souffle de ses fils dans sa nuit. Au moment où ils s'apprêtaient à commencer, Giuseppe se tourna vers Raffaele et lui demanda :

"Tu creuses avec nous ?"

Raffaele resta comme médusé. Ce que Giuseppe lui demandait, ce n'était pas uniquement de l'aide, ce n'était pas de partager sa sueur avec eux, non, c'était d'enterrer la Muette exactement comme s'il avait été un de ses fils. Raffaele était blanc comme un linge. Giuseppe et Domenico le regardaient, attendant sa réponse. Manifestement Giuseppe avait posé la question au nom des trois Scorta. Personne n'avait été surpris. On attendait que Raffaele choisisse. Devant la tombe de la Muette, Raffaele empoigna une pelle, les larmes aux yeux. "Bien sûr", dit-il. C'était comme de devenir à son tour un Scorta. Comme si le cadavre de cette pauvre femme lui donnait sa bénédiction de mère. Il serait leur frère maintenant. Exactement comme si le même sang coulait en eux. Leur frère. Il serrait fort sa pelle pour ne pas sangloter. A l'instant où il se mit à creuser, il releva la tête et ses yeux tombèrent sur Carmela. Elle était là. Près d'eux. Immobile et silencieuse. Elle les regardait travailler. Il eut un pincement au cœur. Un regret profond lui monta aux yeux. Miuccia. Comme elle était belle. Miuccia. Qu'il devrait désormais regarder avec des yeux de frère. Il étouffa ce regret au plus profond de lui, baissa la tête et retourna la terre de toutes ses forces.

Lorsqu'ils eurent achevé leur œuvre et que le cercueil fut à nouveau recouvert de terre, ils restèrent un temps silencieux. Ils ne voulaient pas partir sans un dernier instant de recueillement. Un temps long s'écoula puis Domenico prit la parole :

"Nous n'avons pas de parents. Nous sommes les Scorta. Tous les quatre. Nous en avons décidé ainsi.

C'est ce nom qui nous tiendra chaud désormais. Que la Muette nous pardonne, c'est aujourd'hui que nous naissons vraiment."

Il faisait froid. Ils gardèrent encore longtemps la tête baissée sur la terre retournée, se serrant les uns contre les autres. Et ce nom de Scorta, effectivement, suffisait à leur tenir chaud. Raffaele pleurait doucement. Une famille lui était offerte. Des frères et sœur pour qui il était prêt à donner sa vie. Dorénavant, oui, il serait le quatrième Scorta, il le jurait sur la terre du tombeau de la Muette. Il en porterait le nom. Raffaele Scorta. Et le mépris de ceux de Montepuccio le ferait sourire. Raffaele Scorta, pour se battre, corps et âme, aux côtés de ceux qu'il aimait et qu'il avait cru perdre le temps de leur voyage en Amérique, se retrouvant seul à Montepuccio, seul comme un fou. Raffaele Scorta. Oui. Il jurait de se montrer à la hauteur de ce nouveau nom.

Je suis venue vous raconter le voyage à New York, don Salvatore. Et s'il ne faisait pas nuit, je n'oserais jamais parler. Mais l'obscurité nous entoure, vous fumez doucement et je dois m'acquitter de ma tâche.

Après l'enterrement de mon père, don Giorgio nous a convoqués pour nous exposer ses plans. Il avait trouvé une petite maison, dans le vieux village, où notre mère, la Muette, allait pouvoir vivre. Ce serait pauvre mais digne. Elle s'y installerait dès que possible. En revanche, pour nous, il fallait trouver une autre solution. La vie ici, à Montepuccio, ne nous offrait rien. Nous allions traîner notre pauvreté dans les ruelles du village, avec la rage des êtres que le sort a déchus de leur rang. Rien de bon ne naîtrait de cela. Don Giorgio ne voulait pas nous condamner à une vie de malheur et de crasse. Il avait pensé à mieux. Il se débrouillerait pour obtenir trois billets sur un paquebot qui faisait la liaison entre Naples et New York. L'Eglise paierait. Nous partirions vers cette terre où les pauvres construisent des immeubles plus hauts que le ciel et où la fortune remplit parfois les poches des loqueteux.

Nous avons tout de suite dit oui. Le soir même, je me souviens, des images folles de villes imaginaires tournaient dans ma tête et je me répétais sans cesse ce mot comme une prière qui me faisait briller les yeux : New York... New York...

Lorsque nous avons quitté Montepuccio pour Naples, accompagnés de don Giorgio qui voulait nous escorter jusqu'à l'embarcadère, il me sembla que la terre gronda sous nos pieds, comme si elle maugréait contre ces fils qui avaient l'audace de tenter de l'abandonner. Nous avons quitté le Gargano, nous sommes descendus dans la grande plaine triste de Foggia et nous avons traversé l'Italie de part en part jusqu'à arriver à Naples. Nous avons ouvert de grands yeux sur ce labyrinthe de cris, de crasse et de chaleur. La grande ville sentait la barbaque et le poisson avarié. Les ruelles de Spaccanapoli grouillaient d'enfants aux ventres ronds et aux bouches édentées.

Don Giorgio nous a menés jusqu'au port et nous avons embarqué sur un de ces paquebots construits pour emmener les crève-la-faim d'un point à un autre du globe, dans de grands soupirs de fioul. Nous avons pris place sur le pont au milieu de nos semblables. Miséreux d'Europe au regard affamé. Familles entières ou gamins esseulés. Comme tous les autres, nous nous sommes tenus par la main pour ne pas nous perdre dans la foule. Comme tous les autres, la première nuit, nous n'avons pu trouver le sommeil, craignant que des mains vicieuses ne nous dérobent la couverture que nous nous partagions. Comme tous les autres, nous avons pleuré lorsque l'immense bateau a quitté la baie de Naples. "La vie commence", a murmuré Domenico. L'Italie disparaissait à vue d'œil. Comme tous les autres, nous nous sommes tournés vers l'Amérique, attendant le jour où les côtes seraient en vue, espérant, dans des rêves étranges, que tout là-bas soit différent, les couleurs, les odeurs, les lois, les hommes. Tout. Plus grand. Plus doux. Durant la traversée, nous restions agrippés des heures au parapet, rêvant à ce que pouvait bien être ce continent où les crasseux comme nous étaient les bienvenus. Les jours étaient longs, mais cela importait peu, car les rêves que nous faisions avaient besoin d'heures entières pour se développer dans nos esprits. Les jours étaient longs mais nous les avons laissés couler avec bonheur puisque le monde commençait.

Un jour enfin, nous sommes entrés dans la baie de New York. Le paquebot se dirigeait lentement vers la petite île d'Ellis Island. La joie de ce jour, don Salvatore, je ne l'oublierai jamais. Nous dansions et criions. Une agitation frénétique avait pris possession du pont. Tout le monde voulait voir la terre nouvelle. Nous acclamions chaque chalutier de pêcheur que nous dépassions. Tous montraient du doigt les immeubles de Manhattan. Nous dévorions des yeux chaque détail de la côte.

Lorsque enfin le bateau fut à quai, nous descendîmes dans un brouhaha de joie et d'impatience. La foule emplit le grand hall de la petite île. Le monde entier était là. Nous entendions parler des langues que nous prîmes d'abord pour du milanais ou du romain, mais nous dûmes ensuite convenir que ce qui se passait ici était bien plus vaste. Le monde entier nous entourait. Nous aurions pu nous sentir perdus. Nous étions étrangers. Nous ne comprenions rien. Mais un sentiment étrange nous envahit, don Salvatore. Nous avions la conviction que nous étions ici à notre place. Là, au milieu de ces égarés, dans ce tumulte de voix et d'accents, nous étions chez nous. Ceux qui nous entouraient étaient nos frères, par la crasse qu'ils portaient au visage. Par la peur qui leur serrait le ventre, comme à nous. Don Giorgio avait eu raison. C'est ici qu'était notre place. Dans ce pays qui ne ressemblait à aucun autre. Nous étions en Amérique et plus rien ne nous faisait peur. Notre vie à Montepuccio nous semblait désormais lointaine et laide. Nous étions en Amérique et nos nuits étaient traversées de rêves joyeux et affamés.

Don Salvatore, ne faites pas attention si ma voix se casse et si je baisse les yeux, je vais vous raconter ce que personne ne sait. Personne d'autre que les Scorta. Ecoutez. La nuit est vaste et je vais tout dire.

A l'arrivée, nous descendîmes du paquebot avec enthousiasme. Nous étions joyeux et impatients. Il fallut s'installer dans l'attente. Mais cela, pour nous, n'avait aucune importance. Nous fîmes des queues interminables. Nous nous prêtâmes à des démarches étranges que nous ne comprenions pas. Tout était lent. On nous dirigeait vers un comptoir, puis vers un autre. Nous nous serrions les uns contre les autres pour ne pas nous perdre. Des heures passaient sans que la foule semble diminuer. Tout le monde piétinait. Domenico avançait toujours en tête. A un moment, il nous annonça que nous allions passer devant des médecins et qu'il fallait tirer la langue, respirer profondément plusieurs fois et ne pas craindre d'ouvrir sa chemise si on nous le demandait. Il fallait se plier à tout cela mais peu importait, nous étions prêts à attendre des jours entiers s'il le fallait. Le pays était là. A portée de main.

Lorsque je suis passée devant le médecin, il m'a arrêtée d'un geste. Il a observé mes yeux et, sans rien dire, il m'a fait une marque à la craie sur la main. J'ai voulu demander pourquoi mais on m'a fait signe d'avancer vers une autre salle. Un second médecin m'a auscultée. Plus longtemps. Il m'a posé des questions mais je n'ai pas compris et je n'ai su que répondre. J'étais une gamine, don Salvatore, une gamine et mes genoux tremblaient devant ces étrangers qui se penchaient sur moi comme sur un animal de bétail. Un peu plus tard, mes frères m'ont rejointe. Ils avaient dû batailler pour qu'on les laisse passer.

C'est lorsqu'un interprète est arrivé que nous avons compris ce dont il s'agissait. J'avais une infection. J'avais été malade, effectivement, sur le bateau pendant plusieurs jours. De la fièvre, des diarrhées, les yeux rouges, mais je pensais que cela allait passer. J'étais une gamine qui allait à New York et il me semblait qu'aucune maladie ne pouvait venir à bout de moi. L'homme parla longtemps et tout ce que je compris, c'est que pour moi, le voyage finissait ici. Le sol s'effaça sous mes pieds. J'étais refusée, don Salvatore. Tout était fini. J'avais honte et je baissai la tête pour ne pas croiser le regard de mes frères. Ils gardaient le silence à mes côtés. Je contemplai la longue file d'émigrés qui continuaient à passer devant nous, et je ne pensais qu'à une chose : "Tous ceux-là qui passent, et même la malingre, là, et même le vieillard qui crèvera peut-être dans deux mois, tous ceux-là, et moi, pourquoi pas moi ?"

L'interprète a parlé à nouveau : "Vous allez repartir... le bateau est gratuit... pas de problème... gratuit...", il n'avait que ce mot à la bouche. C'est alors que Giuseppe a proposé à Domenico de continuer seul. "Mimi, tu passes. Moi, je reste avec Miuccia."

Je ne disais rien. Notre vie se jouait là. Dans cette discussion entre deux pièces. Notre vie, pour les années à venir, mais je ne disais rien. Je ne pouvais pas. Je n'avais aucune force. J'avais honte.

Seulement honte. Je ne pouvais qu'écouter et m'en remettre à mes frères. Nos trois vies se jouaient là. Par ma faute à moi. Tout dépendait de ce qu'ils allaient décider. Giuseppe a répété : "C'est le mieux, Mimi. Toi, tu passes, tu t'en sortiras tout seul. Moi, je reste avec Miuccia. On retourne au pays. On réessaiera plus tard..."

Un temps infini s'est écoulé. Croyez-moi, don Salvatore, j'ai vieilli durant cette seule minute de plusieurs années. Tout était suspendu. J'attendais. Le temps que le destin, peut-être, soupèse nos trois vies et choisisse un sort qui lui plaise. Et puis Domenico a parlé et il a dit : "Non. On est venu ensemble, on repart ensemble." Giuseppe a encore voulu insister, mais Domenico l'a interrompu. Il avait pris sa décision. Il serrait les mâchoires et il fit un geste sec de la main que je n'oublierai jamais : "C'est tous les trois ou personne. Ils ne veulent pas de nous. Qu'ils aillent se faire foutre."

IV

LE TABAC DES TACITURNES

L'exhumation du corps de la Muette et son second enterrement provoquèrent un séisme à Montepuccio. Il y avait désormais ce monticule de terre retournée, à l'extérieur du cimetière, que personne ne pouvait ignorer et qui représentait une verrue inacceptable sur la face du village. Les Montepucciens avaient peur que cela se sache. Que la nouvelle se répande et que toute la région les montre du doigt. Ils craignaient que l'on dise qu'à Montepuccio, on enterrait mal les morts. Qu'à Montepuccio, la terre des cimetières était retournée comme des champs. Cette tombe sauvage, à l'écart des autres, était comme un reproche permanent. Don Carlo ne décolérait pas. Il se répandait partout en insultes. Il parlait de violeurs de sépulture. Pour lui, les Scorta avaient dépassé les bornes. Creuser la terre et extraire un corps de sa dernière demeure était un geste de mécréant. Jamais il n'aurait cru que de tels barbares puissent exister en Italie.

Une nuit, n'y tenant plus, il alla jusqu'à arracher le crucifix en bois que les Scorta avaient fait mettre sur le tas de terre et il le cassa d'un geste rageur. La tombe resta ainsi quelques jours. Puis la croix réapparut. Le curé prépara une seconde expédition punitive, mais chaque fois, les croix qu'il arrachait réapparaissaient. Don Carlo croyait se battre contre les Scorta, il se trompait. C'était avec le village tout entier qu'il faisait un bras de fer. Chaque jour, des mains anonymes, que cette tombe misérable, sans plaque ni marbre, révoltait, remontaient la croix en bois. Après quelques semaines de ce jeu de cache-cache, une délégation de villageois alla trouver don Carlo pour tenter de le faire revenir sur sa décision. On lui demanda de faire une cérémonie et d'accepter que la Muette réintègre le cimetière. On proposa même, pour éviter de déterrer à nouveau la malheureuse, de simplement casser le mur d'enceinte du cimetière et de le rebâtir de telle sorte qu'il englobe l'excommuniée. Don Carlo ne voulut rien entendre. Le mépris qu'il avait pour les habitants du village ne fit que croître. Il devenait irascible et sujet à de violentes bouffées de colère.

A partir de ce moment, le père Bozzoni fut pris en haine par tout Montepuccio. Les villageois se jurèrent les uns après les autres qu'ils ne remettraient plus les pieds dans l'église tant que ce "couillon de curé du Nord" y officierait. Ce que les Scorta étaient venus réclamer, tous les gens du village l'attendaient. Ils avaient appris la mort de la Muette et ils avaient pensé aussitôt que l'enterrement serait fastueux comme l'avait été celui de Rocco. La décision de don Carlo les avait révoltés. Pour qui se prenait ce curé qui n'était pas d'ici et changeait les règles immuables du village ? La décision du "nouveau" (comme l'appelaient les femmes au marché en parlant de don Carlo) avait été vue comme une insulte à la mémoire du bien-aimé don Giorgio. Et cela, personne ne pouvait le pardonner. "Le nouveau" méprisait les coutumes. Il venait d'on ne savait où pour imposer sa loi. Les Scorta avaient été insultés. Et à travers eux, c'était tout le village qu'on insultait. Personne n'avait jamais vu un enterrement pareil. Cet homme, tout curé qu'il était, ne respectait rien et Montepuccio n'en voulait pas. Mais il y avait une autre raison à cette vindicte sauvage. C'était la peur. La vieille terreur, jamais tout à fait oubliée, de Rocco Scorta Mascalzone. En enterrant ainsi celle qui avait été sa femme, don Carlo condamnait le village à la colère de Rocco. On se souvenait des crimes qu'il avait commis de son vivant et on tremblait à l'idée de ce qu'il serait capable de faire, mort. A n'en pas douter, un mauvais sort allait frapper Montepuccio. Un tremblement de terre. Ou une mauvaise sécheresse. Le souffle de Rocco Scorta Mascalzone était déjà dans l'air. On le sentait là, dans le vent chaud du soir.

La relation qu'entretenait Montepuccio avec les Scorta était faite d'un mélange indémêlable de mépris, de fierté et de crainte. En temps ordinaire, le village ignorait Carmela, Domenico et Giuseppe.

Ce n'étaient que trois crève-la-faim, fils de brigand. Mais dès qu'on voulait toucher à un de leurs cheveux, ou attenter à la mémoire de Rocco le Sauvage, une sorte d'élan maternel courait dans tout le village et on les défendait comme une louve défend sa portée. "Les Scorta sont des vauriens, mais ils sont des nôtres", voilà ce que pensaient la plupart des Montepucciens. Et puis, ils étaient allés à New York. Et cela leur conférait quelque chose de sacré qui les rendait intouchables aux yeux de la plupart des villageois.

En quelques jours, l'église fut désertée. Plus personne n'assistait à la messe. On ne saluait plus don Carlo dans la rue. On l'avait affublé d'un nouveau surnom qui signait son arrêt de mort : "le Milanais". Montepuccio plongea dans un paganisme ancestral. On pratiqua toutes sortes de cérémonies à l'ombre de l'église. Dans les collines, on dansait la tarentelle. Les pêcheurs vénéraient des idoles à tête de poisson, mélange de saints patronaux et d'esprits des eaux. Les vieilles, au fond des maisons, en hiver, faisaient parler les morts. A plusieurs reprises, on pratiqua des désenvoûtements sur les simples d'esprit qu'on pensait possédés par le malin. Des animaux morts étaient retrouvés devant les portes de certaines maisons. La révolte grondait.

Quelques mois passèrent, jusqu'à ce jour où Montepuccio fut saisi, en fin de matinée, d'une agitation inhabituelle. Une rumeur circulait et faisait se décomposer les visages. On baissait la voix pour parler. Les vieilles femmes se signaient. Quelque chose était arrivé ce matin, qui était sur toutes les lèvres. Le père Bozzoni était mort. Et ce n'était pas le pire : il était mort d'une façon étrange que la pudeur interdisait d'expliquer. Pendant des heures, on n'en sut pas davantage. Puis, au fur et à mesure que le jour avançait et que le soleil réchauffait les façades, la rumeur se précisa. Don Carlo avait été retrouvé dans les collines, à un jour de marche de Montepuccio, nu comme un ver, la langue pendante comme un veau. Comment était-ce possible ? Qu'est-ce que don Carlo était allé faire, seul, dans les collines, si loin de sa paroisse ? Toutes ces questions, les hommes et les femmes se les posaient et reposaient, de groupe en groupe, en buvant le café du dimanche. Mais il y avait plus extraordinaire encore. Vers onze heures, on apprit que le corps du père Bozzoni avait été brûlé par le feu du soleil.

Partout, même sur le visage, alors qu'il était face contre terre lorsqu'on avait trouvé sa dépouille. Il fallait se rendre à l'évidence : il était nu avant de mourir. Il avait marché ainsi, sous le soleil, pendant des heures jusqu'à s'en faire cloquer la peau et saigner les pieds, puis il était mort de fatigue et de déshydratation. Restait le mystère principal : pourquoi était-il parti ainsi seul, dans les collines, aux heures de grande chaleur ? Cette question-là allait alimenter les conversations des Montepucciens bien des années durant. Mais en ce jour et pour s'arrêter au moins provisoirement à une certitude, on décréta que la solitude, de toute évidence, l'avait plongé dans la folie et qu'il avait dû se lever un matin, en pleine crise de démence, décidé à quitter ce village qu'il détestait tant, par tous les moyens possibles. Le soleil avait eu raison de lui. Et cette mort si grotesque, cette nudité si obscène pour un homme d'Eglise, accrut encore le sentiment des villageois : décidément, ce don Carlo ne valait rien.

Lorsque Raffaele apprit la nouvelle, il blêmit. Il se fit répéter l'information et ne put quitter la place où les conversations tournaient sans fin comme le vent dans les ruelles. Il devait en savoir plus, connaître les détails, être certain que tout cela était vrai. Il avait l'air affligé par la nouvelle, ce qui surprit ceux qui le connaissaient. C'était un Scorta. Il aurait dû se réjouir de cette disparition. Raffaele traîna longtemps sans parvenir à quitter la terrasse des cafés. Puis lorsqu'il dut se rendre à l'évidence, lorsqu'il ne fit plus aucun doute que le curé était bien mort, il cracha par terre et murmura : "Cette canaille a trouvé le moyen de me perdre avec lui."

La veille, les deux hommes s'étaient croisés sur un sentier des collines. Raffaele remontait de la mer, et don Carlo faisait une promenade solitaire. Arpenter les sentiers du pays était devenu sa seule distraction. La quarantaine que lui imposait le village l'avait d'abord mis en rage, puis, les semaines passant, elle l'avait perdu dans une solitude épaisse. Ses esprits s'égaraient. Il perdait pied devant tant d'isolement. Rester au village devenait un véritable calvaire. Il ne trouvait de répit que dans ces promenades.

C'est Raffaele qui entama la conversation. Il crut possible de saisir cette occasion pour se lancer dans une ultime négociation.

"Don Carlo, dit-il, vous nous avez offensés. Il est temps de revenir sur votre décision.

— Vous êtes une bande de dégénérés, hurla le curé en guise de réponse. Le Seigneur vous voit et Il se chargera de vous châtier."

La colère monta en Raffaele mais il chercha à se contenir et poursuivit.

“Vous nous détestez. Soit. Mais celle que vous punissez n’a rien à voir là-dedans. La Muette a droit à la terre du cimetière.

— Elle y était avant que vous ne la déterriez. Elle n’a que ce qu’elle mérite, la pécheresse, pour avoir engendré une telle bande de mécréants.”

Raffaele devint blême. Il lui sembla que les collines elles-mêmes lui intimaient l’ordre de répondre à l’offense.

“Vous ne méritez pas l’habit que vous portez, Bozzoni. Vous m’entendez ? Vous êtes un rat qui se cache sous une soutane. Rendez cet habit, rendez-le ou je vous massacre.”

Et il se jeta sur le curé avec la hargne d’un chien. Il le prit au col et d’un geste rageur lui arracha sa soutane. Le curé n’en revenait pas. Il suffoquait d’impuissance. Raffaele ne lâchait pas prise. Il hurlait comme un dément : “A poil, charogne, à poil !” et il déchirait à toute force l’habit du curé en le rouant de coups.

Il ne se calma que lorsqu’il parvint à déshabiller totalement le père Bozzoni. Don Carlo avait capitulé. Il pleurait comme un enfant, se cachant le torse de ses mains dodues. Il murmurait des prières, comme s’il s’était trouvé face à une horde d’hérétiques. Raffaele exultait avec toute la férocité de la vengeance. “C’est ainsi que vous irez dorénavant : nu comme un ver. Vous n’avez pas le droit de porter cet habit. Je vous tuerai si je vous retrouve avec, vous m’entendez ?”

Don Carlo ne répondit pas. Il s'éloigna en pleurant et disparut. Il ne revint jamais. Cette scène l'avait fait chavirer définitivement. Il déambula dans les collines, comme un enfant perdu. Sans prendre garde à la fatigue et au soleil. Il déambula longtemps avant de s'effondrer, sans force, dans cette terre du Sud qu'il détestait tant.

Raffaele resta un temps à l'endroit où il avait rossé le curé. Il ne bougeait pas, attendant que tombe sa colère, qu'il recouvre ses esprits et qu'il puisse retourner au village sans que sa mine le trahisse. A ses pieds gisait la soutane déchirée du prêtre. Il ne pouvait la quitter des yeux. Un rayon de soleil le fit ciller. Quelque chose scintillait dans la lumière. Il se pencha, sans y penser, et ramassa une montre en or. S'il était parti à cet instant, il est probable qu'il aurait jeté la montre un peu plus loin, avec dégoût, mais il ne bougea pas. Il sentait qu'il n'était pas encore allé jusqu'au bout. Il se pencha à nouveau et lentement, précautionneusement, il ramassa la soutane déchirée et en fouilla les poches. Il vida le portefeuille de don Bozzoni et le laissa un peu plus loin sur le sentier, ouvert comme une carcasse désossée. Il serrait dans sa main la liasse de billets et la montre en or, avec, sur le visage, un sourire laid de démence.

"Cette canaille a trouvé le moyen de me perdre avec lui." Raffaele venait de comprendre que cette dispute avait abouti à une mort et même s'il se répétait qu'il n'avait tué personne, il sentait bien que cette mort-là pèserait à jamais sur sa conscience. Il revoyait le curé, nu, pleurant comme un enfant, s'éloignant dans les collines comme une pauvre créature condamnée à l'exil. "Me voilà damné, se dit-il. Damné par ce sale type qui ne méritait pas un crachat."

Vers midi, le corps du père Bozzoni fut ramené à Montepuccio, à dos d'âne. On avait disposé un drap sur le cadavre. Pas tant pour éloigner les mouches du corps que pour être sûr que la nudité du curé ne choque pas les femmes et les enfants.

Une fois arrivé à Montepuccio, il se produisit quelque chose d'inattendu. Le propriétaire de l'âne – un paysan taiseux – déposa le corps devant l'église, puis déclara haut et fort qu'il avait fait ce qu'il devait et retourna à son champ. Le corps resta là, enroulé dans un drap, maculé de terre. On l'observa. Personne ne bougeait. Les Montepucciens étaient rancuniers. Personne ne voulait l'enterrer. Personne n'était prêt à assister à la cérémonie ou à porter son cercueil. Et d'ailleurs qui s'occuperait de la messe ? Le curé de San Giocondo était en déplacement à Bari. Le temps qu'il revienne, le corps de don Carlo serait décomposé. Au bout d'un temps, la chaleur du soleil devenant accablante, on finit par admettre que si on laissait là le cadavre du Milanais, il ne tarderait pas à puer comme une charogne. Ce serait une trop belle vengeance pour lui. Empester Montepuccio. Faire naître, pourquoi pas, des maladies. Non, il fallait l'enterrer. Pas par décence et charité mais pour être certain qu'il ne nuise plus. On se mit d'accord pour creuser un trou derrière le cimetière. A l'extérieur de l'enceinte. Quatre hommes furent tirés au sort. Ils le jetèrent en terre sans sacrement. En silence. Don Carlo fut enterré comme un mécréant, sans prière pour apaiser la morsure du soleil.

Cette mort avait été pour les Montepucciens un événement considérable mais, manifestement, le reste du monde ne s'en soucia guère. Le village, après la disparition de don Carlo, fut à nouveau oublié par l'épiscopat. Cela convenait aux Montepucciens. Ils avaient l'habitude. Ils murmuraient même parfois, entre eux, lorsqu'ils passaient devant l'église fermée : "Personne, plutôt qu'un nouveau Bozzoni", redoutant que, par une sorte de punition divine, on leur affecte un nouvel homme du Nord qui les traiterait de vauriens, se moquerait de leurs coutumes et refuserait de baptiser leurs fils.

Le ciel semblait les avoir entendus. Personne ne venait et l'église resta fermée comme les palais de ces grandes familles qui disparaissent d'un coup et laissent derrière elles un parfum de grandeur et de vieilles pierres sèches.

Les Scorta avaient repris leur vie misérable à Montepuccio. Ils habitaient tous les quatre, entassés dans la pièce unique de la maison de Raffaele. Chacun avait trouvé un métier et ramenait de quoi manger – guère plus. Raffaele était pêcheur. Il ne possédait pas de barque en propre, mais le matin, au port, tel ou tel le faisait monter pour la journée – moyennant une part sur le fruit de la pêche. Domenico et Giuseppe louaient leurs bras aux propriétaires agricoles. Ils ramassaient les tomates ou les olives. Fendaient le bois. Des journées entières de chaleur à se pencher sur une terre qui ne donnait rien. Quant à Carmela, elle cuisinait pour les trois, s'occupait du linge de la maison et s'acquittait de menus travaux de broderie pour le village.

Ils n'avaient pas touché à ce qu'ils appelaient entre eux "l'argent de New York". Pendant longtemps, ils considérèrent que cet argent devait être mis à profit pour acheter une maison. Pour l'heure, il fallait se serrer la ceinture et patienter, mais dès qu'une opportunité s'offrirait, ils achèteraient. Ils avaient de quoi acheter une maison tout à fait honorable tant la pierre, à cette époque, à Montepuccio, ne valait rien. L'huile d'olive était plus précieuse que les arpents de cailloux du pays.

Un soir, cependant, Carmela releva la tête de son assiette de soupe et déclara :

"Il faut faire autrement.

— Quoi ? demanda Giuseppe.

— L'argent de New York, expliqua-t-elle, il faut s'en servir pour autre chose que la maison.

— C'est ridicule, dit Domenico. Où vivrons-nous ?

— Et si nous achetons une maison, rétorqua Carmela qui avait déjà pensé à tout cela des heures entières, vous continuerez à suer comme des bêtes tous les jours que Dieu fera pour gagner votre pain. Il ne faudra compter sur rien d'autre. Et les années passeront. Non. Nous avons de l'argent, il faut acheter quelque chose de mieux.

— Comme quoi ? demanda Domenico, intrigué.

— Je ne sais pas encore. Mais je trouverai."

Le raisonnement de Carmela avait plongé les trois frères dans la perplexité. Elle avait raison. Cela ne faisait aucun doute. Acheter une maison, et puis quoi ? Si au moins on avait assez pour acheter quatre maisons, mais ce n'était pas le cas. Il fallait trouver autre chose.

"Demain, nous sommes dimanche, reprit Carmela, emmenez-moi avec vous. Je veux voir ce que vous voyez, faire ce que vous faites, toute la journée. Je regarderai. Et je trouverai."

A nouveau, les hommes ne surent que répondre. Les femmes, à Montepuccio, ne sortaient pas ou seulement à des moments bien précis dans la journée. Le matin, très tôt, pour le marché. A la messe – mais depuis la mort de don Carlo, cette sortie n'existait plus. Au moment de la cueillette des olives, à la saison des récoltes dans les champs. Et à l'occasion des fêtes patronales. Le reste du temps, elles restaient chez elles, cloîtrées derrière les murs épais des maisons, à l'abri du soleil et de la convoitise des hommes. Ce que proposait Carmela allait à l'encontre de la vie du village, mais depuis le retour d'Amérique, les frères Scorta avaient une confiance totale en l'instinct de leur petite sœur.

"D'accord", dit Domenico.

Le lendemain, Carmela mit sa plus belle robe et sortit, escortée par ses trois frères. Ils allèrent au café où ils burent – comme ils le faisaient chaque dimanche – un café serré qui vous tordait les boyaux et vous faisait palpiter le cœur. Puis ils s'assirent à une table, sur le trottoir, et jouèrent aux cartes. Carmela était là. Un peu à l'écart. Bien droite sur sa chaise. Elle regardait les hommes passer. Elle observait la vie du village. Ils allèrent ensuite rendre visite à quelques amis pêcheurs. Puis, le soir venu, firent la *passeggiata*, le long du corso Garibaldi, descendant et remontant l'avenue, saluant ceux qu'ils connaissaient, prenant les nouvelles du jour. Carmela avait passé, pour la première fois de sa vie, une journée entière dans les rues du village, dans ce monde d'hommes qui la dévisageaient avec étonnement. Elle avait entendu les commentaires dans son dos. On s'interrogeait sur sa présence. On commentait sa tenue. Mais elle se moquait de cela et restait concentrée sur sa mission. Le soir, de retour chez eux, elle enleva ses chaussures avec soulagement. Ses pieds lui faisaient mal. Domenico, debout devant elle, la regardait, en silence :

"Alors ?" demanda-t-il finalement. Giuseppe et Raffaele relevèrent la tête et se turent pour ne rien perdre de sa réponse.

"Les cigarettes, répondit-elle calmement.

— Les cigarettes ?

— Oui. Il faut ouvrir un bureau de tabac à Montepuccio."

La face de Domenico s'illumina. Un bureau de tabac. Bien sûr. Montepuccio n'en avait pas. L'épicier vendait quelques cigarettes. Au marché aussi, on en trouvait, mais un vrai bureau de tabac, non, c'était exact, Montepuccio n'en avait pas. Carmela avait observé la vie des hommes durant toute la journée et la seule chose commune entre les pêcheurs du vieux village et les bourgeois du corso, c'était que tous ces hommes tiraient sur de petites cigarettes avec avidité. A l'ombre, à l'heure de l'apéritif, ou en plein soleil, durant le travail, tous fumaient. Il y avait là quelque chose à faire. Un bureau de tabac. Oui. Sur le corso. Carmela en était sûre. Un bureau de tabac. La main au feu. Il ne désemplirait pas.

Les Scorta s'employèrent à acquérir le bien qu'ils désiraient. Ils achetèrent un local sur le corso Garibaldi. C'était un rez-de-chaussée, une grande pièce vide d'une trentaine de mètres carrés. Ils achetèrent également la cave pour faire la remise. Après cela, il ne leur resta plus rien. Le soir de l'achat du local, Carmela était sombre et muette.

"Qu'y a-t-il ? demanda Domenico.

— Nous n'avons plus un sou pour acheter la licence, répondit Carmela.

— Combien faut-il ? demanda Giuseppe.

— Le prix de la licence n'est rien mais il faut suffisamment d'argent pour soigner le directeur du bureau des licences. Lui offrir des cadeaux. Chaque semaine. Jusqu'à ce qu'il nous l'accorde. Nous n'avons pas assez pour cela."

Domenico et Giuseppe étaient consternés. Un nouvel obstacle se présentait qu'ils n'avaient pas prévu et qu'ils ne savaient comment surmonter. Raffaele les regarda tous les trois puis leur dit avec douceur :

"L'argent, je l'ai. Et je vous le donne. Je ne veux qu'une chose. Ne me demandez pas d'où il vient.

Ni depuis combien de temps je le possède. Ni pourquoi je ne vous en ai jamais parlé. Je l'ai. Il n'y a que cela qui compte."

Et il posa sur la table une liasse de billets froissés. C'était l'argent du père Bozzoni. Raffaele avait vendu la montre. Jusqu'à ce jour il avait toujours porté l'argent sur lui, sans savoir qu'en faire, n'osant ni le jeter ni le dépenser. Les Scorta explosèrent de joie mais même alors, il ne sentit en lui aucun soulagement. La silhouette folle de Bozzoni dansait encore dans son esprit et lui tordait le ventre de remords.

Avec l'argent de Raffaele, ils travaillèrent à obtenir la licence. Pendant six mois, tous les quinze jours, Domenico quitta Montepuccio et alla jusqu'à San Giocondo à dos d'âne. Il y avait là-bas un bureau du Monopolio di Stato*. Il apportait à son directeur des jambons, des *caciocavalli***, quelques bouteilles de *limoncello****. Il faisait l'aller-retour, inlassablement. Tout l'argent passait dans l'achat de ces victuailles. Au bout de six mois, l'autorisation fut accordée. Les Scorta étaient enfin propriétaires d'une licence. Ils n'avaient plus rien. Plus un sou de réserve. Simplement les murs d'une pièce vide et un petit bout de papier qui leur donnait

* Etablissement chargé de la gestion du monopole sur le tabac, équivalent de la SEITA, en France.

** Fromages typiques des Pouilles, en forme de poire.

*** Alcool de citron.

le droit de travailler. Il ne restait même plus de quoi acheter le tabac. Les premières caisses de cigarettes, ils les obtinrent à crédit. Domenico et Giuseppe allèrent les chercher à San Giocondo. Ils chargèrent le tout sur l'âne et pour la première fois de leur vie, sur le chemin du retour, il leur sembla que quelque chose commençait enfin. Ils n'avaient fait jusque-là que subir. Les choix leur avaient été imposés. Pour la première fois, ils allaient se battre pour eux-mêmes et cette perspective les faisait sourire de bonheur.

Les cigarettes, ils les déposèrent sur des caisses en carton. Ils faisaient des piles de cartouches. On eût dit un local de contrebande. Ni comptoir, ni caisse. Rien que la marchandise, à même le sol. La seule chose qui permettait de voir que le bureau était officiellement un dépôt de vente, c'était le panneau en bois qu'ils avaient accroché au-dessus de la porte et sur lequel était écrit *Tabaccheria Scorta Mascalzone Rivendita n° 1**. Le premier bureau de tabac de Montepuccio était né. Et c'était le leur. Dorénavant, ils allaient plonger corps et âme dans cette vie de sueur qui leur briserait le dos et les tuerait de fatigue. Une vie sans sommeil. La destinée des Scorta serait liée à ces caisses de tabac qu'ils allaient décharger de l'âne, au petit matin, avant que les travailleurs gagnent les champs et que les pêcheurs reviennent de la mer. Leur vie

* Bureau de tabac Scorta Mascalzone, magasin n° 1.

entière serait liée à ces petites tiges blanches que les hommes tenaient serrées entre leurs doigts et qui rétrécissaient doucement au vent, dans la douceur des soirs d'été. Une vie de sueur et de fumée. Qui commençait là. La chance d'échapper à la misère à laquelle leur père les avait condamnés s'offrait enfin. *Tabaccheria Scorta Mascalzone Rivendita n° 1.*

Nous sommes restés à Ellis Island neuf jours. Nous attendions qu'un bateau soit affrété pour le retour. Neuf jours, don Salvatore, à contempler ce pays qui nous était interdit. Neuf jours aux portes du paradis. C'est là que pour la première fois j'ai repensé à cet instant où mon père était rentré à la propriété, après sa nuit de confession, à cet instant où il avait passé la main dans mes cheveux. Il me semblait qu'une main à nouveau passait dans mes cheveux. La même qu'autrefois. Celle de mon père. Celle du vent maudit des collines des Pouilles. Cette main me rappelait à elle. C'était la main sèche de la malchance qui condamne, depuis toujours, des générations entières à n'être que des culs-terreux qui vivent et crèvent sous le soleil, dans ce pays où les oliviers sont plus choyés que les hommes.

Nous sommes montés sur le bateau du retour et l'embarquement n'avait rien à voir avec celui de Naples qui s'était fait dans le tumulte et les éclats de voix. Cette fois, nous avons tous pris place en silence et d'un pas lent de condamné. C'était la lie de la terre qui montait à bord. Les malades de toute l'Europe. Les plus pauvres des pauvres. C'était un bateau de tristesse résignée. Le navire des malchanceux, des damnés qui retournent au pays avec la honte tenace d'avoir échoué. L'interprète n'avait pas menti, le voyage était gratuit. De toute façon, personne n'aurait eu de quoi payer un billet de retour. Si les autorités ne voulaient pas que les gueux s'entassent à Ellis Island, elles n'avaient pas d'autre choix que d'organiser elles-mêmes les voyages. Mais, en revanche, il n'était pas question d'affréter un bateau par pays et par destination. Le paquebot des refusés traversait l'Atlantique et, une fois en Europe, desservait lentement, un à un, les principaux ports où il déposait sa cargaison humaine.

Ce voyage-là, don Salvatore, fut infiniment long. Les heures passaient sur ce navire comme elles passent dans un hôpital, au rythme lent du goutte-à-goutte des transfusions. On mourait dans les dortoirs. On agonisait, de maladie, de déception, de solitude. Ces êtres abandonnés de tout avaient du mal à trouver une raison de vivre à laquelle s'accrocher. Ils se laissaient souvent glisser dans la mort avec un sourire vague, heureux, au fond, de mettre un terme à cette succession d'épreuves et d'humiliations qu'avait été leur vie.

Etrangement, je repris des forces. La fièvre tomba. Je pus bientôt aller d'un point à un autre du pont.

Je dévalais les escaliers, je longeais les couloirs. J'étais partout. Passant d'un groupe à un autre. En quelques jours, je fus connue de tous – quels que soient leur âge et leur langue. J'occupais mes journées à rendre de petits services. Repriser des chaussettes. Trouver un peu d'eau pour le vieil Irlandais ou un acquéreur pour la Danoise qui voulait se séparer d'une petite médaille en argent et désirait, en échange, une couverture. Je connaissais tout le monde par son nom, ou son surnom. J'épongeais le front des malades. Je préparais à manger pour les vieux. On m'appelait "la petite". Je mis à contribution mes frères. Je leur donnais des instructions. Ils déplaçaient les malades sur le pont les jours de beau temps. Ils distribuaient l'eau dans les dortoirs. Nous étions tour à tour messagers, commerçants, aides-soignants, confesseurs. Et petit à petit, nous avons réussi à améliorer notre sort. Nous gagnions quelques sous, quelques privilèges. D'où venaient les ressources ? La plupart du temps, des morts. Les décès étaient nombreux. Il était acquis que le peu de choses que les moribonds laissaient derrière eux allaient à la communauté. Il eût été difficile de faire autrement. Les infortunés retournaient pour la plupart dans un pays où plus personne ne les attendait. Ils avaient laissé les leurs en Amérique ou dans des terres qu'ils n'avaient pas l'intention de fouler à nouveau. Allait-on envoyer les quelques pièces qu'ils cachaient dans leurs nippes à une adresse où elles n'arriveraient jamais ? Le butin était redistribué à bord. Souvent les hommes d'équipage se servaient en premier. C'est là que nous intervenions. Nous nous débrouillions pour que l'équipage soit prévenu le plus tard possible, et nous faisions le partage, dans l'obscurité des fonds de cale. C'étaient de longs pourparlers. Si le défunt avait une famille à bord, tout allait aux survivants, mais dans le cas contraire – qui était le plus fréquent – on essayait d'être équitable. Nous mettions parfois des heures à nous mettre d'accord sur l'héritage de trois bouts de ficelle et d'une paire de chaussures. Je ne m'occupais jamais d'un malade en pensant à sa mort prochaine et aux bénéfices que je pourrais en tirer. Je vous le jure. Je le faisais parce que je voulais me battre et que c'était le seul moyen que j'avais trouvé.

Je m'occupais particulièrement d'un vieux Polonais que j'aimais bien. Je n'ai jamais réussi à dire son nom en entier, Korniewski ou Korzeniewki... Je l'appelais "Korni". Il était petit et sec. Il devait avoir soixante-dix ans. Son corps l'abandonnait doucement. On lui avait déconseillé, à l'aller, de tenter sa chance. On lui avait expliqué qu'il était trop vieux. Trop faible. Mais il avait insisté. Il voulait voir ce pays dont tout le monde parlait. Ses forces ne tardèrent pas à décliner. Il gardait des yeux rieurs mais maigrissait à vue d'œil. Il me murmurait parfois à l'oreille des mots que je ne comprenais pas mais qui me faisaient rire, tellement ces sons ressemblaient à tout sauf à une langue.

Korni. C'est lui qui nous sauva de la misère qui nous rongeait la vie. Il est mort avant que nous n'arrivions en Angleterre. Il mourut une nuit où le roulis était doux. Au moment où il se sentit partir, il m'appela à ses côtés et me tendit un petit chiffon fermé d'une cordelette. Il prononça une phrase que je ne compris pas, puis, renversant sa tête sur sa couche, les yeux ouverts, il se mit à prier, en latin. J'ai prié avec lui, jusqu'au moment où la mort lui a volé son dernier souffle.

Dans le chiffon, il y avait huit pièces d'or et un petit crucifix en argent. C'est cet argent qui nous a sauvés.

Peu après la mort du vieux Korni, le bateau a commencé sa descente dans les ports d'Europe. Il accosta tout d'abord à Londres, puis mouilla au Havre, repartit pour la Méditerranée où il s'arrêta à Barcelone, à Marseille et enfin à Naples. A chacune de ces escales, le bateau se vidait de ses passagers crasseux et s'emplissait de marchandises. Nous avons profité de ces étapes pour faire du commerce. A chaque arrêt, le bateau restait deux ou trois jours à quai, le temps que les cargaisons soient montées et que l'équipage dessoûle. Nous profitions de ces précieuses heures pour acheter quelques marchandises. Du thé. Des casseroles. Du tabac. Nous choisissions ce qui était le plus typique du pays et nous profitions de l'escale suivante pour le revendre. C'était un commerce ridicule, sur des sommes dérisoires, mais nous avons accumulé ce minuscule trésor avec minutie. Et nous sommes arrivés à Naples plus riches qu'à notre départ. C'est ce qui compte, don Salvatore. C'est ma fierté. Nous sommes revenus plus riches que nous n'étions partis. J'ai découvert que j'avais un don, le don du commerce. Mes frères n'en revenaient pas. C'est ce petit trésor, arraché à la crasse et à la débrouille, qui nous a permis de ne pas crever comme des bestiaux dans la foule épaisse de Naples à notre retour.

V

LE BANQUET

La nuit était tombée. Carmela tira le rideau de fer. Elle ne voulait plus être dérangée. “Il y aura certainement encore quelques clients tardifs mais avec un peu de chance, se dit-elle, lorsqu’ils verront la devanture à moitié baissée, ils n’insisteront pas.” De toute façon, s’ils appelaient, s’ils frappaient, elle était décidée à ne pas répondre. Elle avait quelque chose à faire et ne voulait pas être dérangée. Elle passa derrière le comptoir et, avec nervosité, ses mains se saisirent de la boîte en bois qui lui servait de caisse. “Normalement, il devrait y avoir le compte”, pensa-t-elle. Elle ouvrit la boîte et ses doigts plongèrent dans la multitude de petits billets froissés, tentant de les mettre en ordre, de les aplatir, de les compter. Ils plongèrent dans cette masse de papier avec la frénésie des pauvres. Il y avait de l’inquiétude dans ses gestes. Elle attendait avec terreur un verdict. Y aurait-il suffisamment ? D’ordinaire, elle faisait sa caisse une fois rentrée chez elle. Sans aucune impatience. Elle savait bien, au jugé, si la journée avait été bonne ou non, et elle n’éprouvait aucune hâte à se le voir confirmer par le compte exact des billets. Mais ce soir, c'était différent. Ce soir, oui, elle était sur sa caisse, dans la pénombre de sa boutique, comme un voleur sur son butin.

"Cinquante mille lires", murmura-t-elle enfin, lorsqu'un petit tas de billets ordonnés trôna devant elle. Elle prit la liasse et la mit dans une enveloppe, puis versa le reste de ce que contenait la boîte dans le porte-monnaie en tissu qui lui servait à transporter la recette journalière.

Alors seulement, elle ferma le tabac, avec les gestes rapides et nerveux des conspirateurs.

Elle ne prit pas le chemin de la maison. Elle tourna dans la via dei Martiri et marcha d'un pas pressé. Il était une heure moins dix du matin. Les rues étaient vides. Lorsqu'elle arriva sur le parvis de l'église, elle constata avec satisfaction qu'elle était la première. Elle ne voulut pas s'asseoir sur un des bancs publics. Elle eut à peine le temps de faire quelques pas. Un homme approcha enfin. Carmela se sentit comme une petite fille face au vent. Il la salua avec courtoisie, en hochant la tête. Elle était nerveuse. Elle ne voulait pas que cette entrevue s'éternise, craignant qu'on les aperçoive à cette heure incongrue et que le village se mette à jaser. Elle sortit l'enveloppe qu'elle avait préparée et la tendit à son interlocuteur.

"Voilà pour vous, don Cardella. Comme convenu."

L'homme sourit et glissa l'enveloppe dans la poche de son pantalon en lin.

“Vous ne comptez pas ?” demanda-t-elle avec étonnement.

L’homme sourit à nouveau – signe qu’il n’avait pas besoin de ce genre de précaution –, puis la salua et disparut.

Carmela resta là. Sur le parvis. Tout cela n’avait duré que quelques secondes. Elle était maintenant seule. Tout était fini. Ce rendez-vous qui l’avait obsédée pendant des semaines, cette échéance qui l’avait privée de sommeil des nuits entières venait de passer sans que rien dans le vent du soir ou dans le bruit des rues marque cet instant d’une empreinte particulière. Et pourtant, elle le sentait, son destin venait de prendre un tour nouveau.

Les Scorta avaient emprunté beaucoup d’argent pour pouvoir faire vivre le tabac. Depuis qu’ils s’étaient lancés dans cette aventure, ils n’avaient cessé de s’endetter. C’est Carmela qui s’occupait des finances. Sans rien dire à ses frères, elle avait plongé dans le cercle vicieux de l’usure. Les créanciers, à cette époque, à Montepuccio, pratiquaient leur métier de façon simple. On se mettait d’accord sur une somme, sur un taux et sur une date pour le remboursement. Le jour dit, on apportait l’argent. Il n’y avait ni papier ni contrat. Aucun témoin. Que la parole donnée et la foi en la bonne volonté et en l’honnêteté de son interlocuteur. Malheur à qui n’honorait pas ses dettes. Les guerres de famille étaient sanglantes et interminables.

Don Cardella était le dernier créancier de Carmela. Elle avait fait appel à lui plusieurs mois auparavant pour rembourser l'argent qu'elle avait emprunté au propriétaire du café du corso. Don Cardella avait été son tout dernier recours. Il l'avait tirée d'affaire, moyennant quoi il avait récupéré plus du double de ce qu'il lui avait prêté, mais c'était la règle et Carmela n'y trouvait rien à redire.

Elle regarda la silhouette de son dernier créancier disparaître au coin de la rue et sourit. Elle aurait pu hurler et danser. Pour la première fois, le bureau de tabac était à eux, pour la première fois, il leur appartenait en propre. Les risques de saisie s'éloignaient. Plus d'hypothèques. Dorénavant, ils travailleraient pour eux. Et chaque lire gagnée serait une lire pour les Scorta. "Nous n'avons plus de dettes." Elle se répéta cette phrase jusqu'à sentir une sorte de vertige la saisir. C'était comme d'être libre, pour la première fois.

Elle pensa à ses frères. Ils avaient travaillé sans compter. Giuseppe et Domenico s'étaient occupés des travaux de maçonnerie. Ils avaient construit un comptoir. Refait le sol. Blanchi l'intérieur à la chaux. Petit à petit, année après année, le local avait pris forme et vie. Comme si ce lieu froid, fait de vieilles pierres, se nourrissait de la sueur des hommes pour éclore. Plus ils travaillaient et plus le tabac était beau. Les hommes sentent cela. Qu'il s'agisse d'un commerce, d'un champ ou d'une barque, il existe un lien obscur entre l'homme et son outil, fait de respect et de haine. On en prend soin. On l'entoure de mille attentions et on l'insulte dans ses nuits. Il vous use. Il vous casse en deux. Il vous vole vos dimanches et votre vie de famille, mais pour rien au monde on ne s'en séparerait. Il en était ainsi du bureau de tabac et des Scorta. Ils le maudissaient et le vénéraient tout à la fois, comme on vénère qui vous fait manger et comme on maudit qui vous fait vieillir prématurément.

Carmela pensait à ses frères. Ils avaient donné leur temps et leur sommeil. Et cette dette-là, elle le savait, elle ne pourrait jamais s'en affranchir. Cette dette-là, rien ne la rembourserait.

Elle ne pourrait même pas leur faire part de son bonheur car il faudrait pour cela parler des dettes qu'elle avait contractées, des risques qu'elle avait pris et elle ne voulait pas le faire. Mais elle avait hâte d'être à leurs côtés. Demain, dimanche, elle les verrait tous. Raffaele avait lancé une étrange invitation. Une semaine plus tôt, il était passé pour dire qu'il conviait tout le clan – les femmes, les enfants, tout le monde – au lieu dit Sanacore. Il n'avait pas révélé la raison de cette invitation. Mais demain dimanche, ils se retrouveraient tous là-bas. Elle se le promettait, elle veillerait sur les siens avec plus d'attention que jamais. Elle aurait un geste pour chacun. Elle les entourerait de son affection. Tous ceux à qui elle avait pris du temps. Ses frères. Ses belles-sœurs. Tous ceux qui, pour que vive le tabac, avaient donné un peu de leur force.

Lorsqu'elle arriva devant chez elle, avant de pousser la porte et de retrouver son mari et ses deux fils, elle entra dans le petit local troglodytique attenant à la maison qui leur servait d'écurie. Le vieil âne était là, dans l'air chaud de cette pièce aveugle. L'âne qu'ils avaient ramené de Naples et dont ils n'avaient jamais voulu se débarrasser. Ils l'utilisaient pour transporter le tabac de San Giocondo à Montepuccio. La vieille bête était infatigable. Elle s'était parfaitement acclimatée au ciel des Pouilles et à sa nouvelle vie. A tel point même que les Scorta la faisaient fumer. La brave bête adorait cela et ce spectacle faisait les délices des enfants du village ou de ceux de San Giocondo qui, lorsqu'ils la voyaient arriver, lui faisaient escorte en hurlant : *"E arrivato l'asino fumatore ! L'asino fumatore* !"* L'âne fumait en effet. Pas les cigarettes du tabac, c'eût été donner de la confiture aux cochons – et les Scorta étaient trop avares de chacune de leurs cigarettes. Non. Sur la route, ils arrachaient de longues herbes sèches, en faisaient un fagot de l'épaisseur d'un doigt et y mettaient le feu. L'âne tirait dessus tout en marchant. Avec une placidité totale. Rejetant la fumée par les naseaux. Lorsque la tige rétrécissait et que la chaleur devenait trop intense, il crachait le mégot, crânement, ce qui faisait toujours rire les Scorta. C'est pour cette raison qu'ils avaient baptisé leur âne "Muratti", l'âne fumeur de Montepuccio.

* "L'âne fumeur est arrivé ! L'âne fumeur !"

Carmela tapa sur les flancs de la bête en lui murmurant à l'oreille : "Merci, Muratti. Merci, *caro*. Toi aussi tu as sué pour nous." Et l'âne se prêta avec douceur à ces caresses comme s'il comprenait que les Scorta fêtaient leur liberté et que les journées de travail, dorénavant, n'auraient plus jamais le poids éreintant de la servitude.

Lorsque Carmela entra chez elle et posa les yeux sur son mari, elle vit tout de suite qu'il était dans un état d'agitation anormale. Elle crut un instant qu'il avait appris qu'elle avait emprunté de l'argent à don Cardella sans lui demander son accord, mais ce n'était pas cela. Ses yeux brillaient de l'exaltation des enfants et non de la lueur laide du reproche. Elle le contempla en souriant et elle comprit, avant même qu'il parle, qu'il avait dû s'enthousiasmer pour un nouveau projet.

Son époux, Antonio Manuzio, était le fils de don Manuzio, avocat et conseiller municipal. Un notable de Montepuccio. Riche. A la tête de centaines d'hectares d'oliviers. Don Manuzio était de ceux qui avaient eu à subir les pillages à répétition de Rocco Scorta Mascalzone. Plusieurs de ses hommes avaient été tués à l'époque. Quand il apprit que son fils voulait se marier avec la fille de ce criminel, il lui intima l'ordre de choisir entre sa famille et cette "pute". Il avait dit *putana*, ce qui, dans sa bouche, était aussi choquant qu'une tache de sauce tomate sur une chemise blanche. Antonio choisit et il épousa Carmela, se coupant ainsi de sa famille, renonçant à la vie de bourgeois oisif qui l'attendait. Il épousa Carmela, sans un bien. Sans un sou. Avec un nom, simplement.

"Qu'y a-t-il ?" demanda Carmela pour qu'Antonio ait le plaisir de lui raconter ce qui lui brûlait les lèvres. Le visage d'Antonio s'illumina d'une lueur de reconnaissance et il s'écria :

"Miuccia, j'ai eu une idée, dit-il, j'y ai pensé toute la journée. Enfin, j'y pense depuis longtemps, mais, aujourd'hui, j'en suis certain et j'ai pris ma décision. C'est en pensant à tes frères que cela m'est venu..."

Le visage de Carmela s'obscurcit légèrement. Elle n'aimait pas qu'Antonio se mette à parler de ses frères. Elle aurait préféré l'entendre parler plus souvent de ses deux fils, Elia et Donato, mais il ne le faisait jamais.

"Qu'y a-t-il ? demanda-t-elle à nouveau, avec une pointe de lassitude dans la voix.

— Il faut se diversifier", répondit Antonio.

Carmela ne répondit rien. Elle savait maintenant ce que son mari allait lui dire. Pas dans le détail, bien sûr, mais elle sentait qu'il allait s'agir d'une de ces idées qu'elle ne pourrait pas partager et cela la rendait triste et maussade. Elle avait épousé un homme à la tête pleine de vent dont les yeux brillaient mais qui déambulait dans la vie comme un funambule. Cela la rendait triste. Et de mauvaise humeur. Mais Antonio était lancé et il fallait maintenant qu'il explique tout.

“Il faut se diversifier, Miuccia, reprit Antonio, regarde tes frères. C’est eux qui ont raison. Domenico a son bar. Peppe et Faelucc’ ont la pêche. Il faut penser à autre chose qu’à ces maudites cigarettes.

— Il n’y a que le tabac qui convienne aux Scorta”, répondit laconiquement Carmela.

Ses trois frères s’étaient mariés, et tous les trois, en même temps que ce mariage, avaient embrassé une nouvelle vie. Domenico avait épousé un beau jour de juin 1934 Maria Faratella, fille d’une famille aisée de commerçants. Ce fut un mariage sans passion mais qui apporta à Domenico un confort qu’il n’avait jamais connu. Il ressentait pour cela, à l’égard de Maria, une gratitude qui ressemblait à de l’amour. Avec Maria, il était à l’abri de la pauvreté. Les Faratella ne vivaient pas dans le luxe, mais possédaient – outre plusieurs champs d’oliviers – un bar, sur le corso Garibaldi. Désormais, Domenico partageait son temps entre le bureau de tabac et le bar, travaillant selon les jours là où on avait le plus besoin de lui. Quant à Raffaele et Giuseppe, ils avaient épousé des filles de pêcheurs et le métier de la mer leur prenait à eux aussi le plus clair de leur temps et de leur force. Oui, ses frères s’étaient éloignés du bureau de tabac, mais c’était la vie, et qu’Antonio utilise pour qualifier ce changement de destin le terme “diversifier” énervait Carmela. Cela lui semblait faux et presque sale.

“Le tabac, c’est notre croix, avait repris Antonio tandis que Carmela se taisait. Ou ça le deviendra si nous n’essayons pas de changer. Tu as fait ce que tu avais à faire et tu l’as fait mieux que personne, mais il faut penser à évoluer maintenant. Avec tes cigarettes, tu fais de l’argent, mais tu n’auras jamais ce qui compte vraiment : le pouvoir.

— Que proposes-tu ?

— Je vais me présenter à la mairie.”

Carmela ne put réprimer un éclat de rire.

“Et qui votera pour toi ? Tu n’as même pas l’appui de ta famille. Domenico, Faelucc’ et Peppe. Voilà. Tu peux compter sur ces trois voix et c’est tout.

— Je sais, dit Antonio, blessé comme un enfant mais conscient de la justesse de cette remarque. Il faut que je fasse mes preuves. J’ai pensé à cela. Ces ignorants de Montepucciens ne savent pas ce qu’est la politique et ne savent pas reconnaître la valeur d’un homme. Je dois gagner leur respect. C’est pour cela que je vais partir.

— Où ça ? demanda Carmela, surprise de tant de détermination chez son grand jeune homme de mari.

— En Espagne, répondit-il. Le Duce a besoin de bons Italiens. Prêts à donner leur jeunesse pour écraser les rouges. Je serai un de ceux-là. Et lorsque je reviendrai, couvert de médailles, ils reconnaîtront en moi l’homme qu’il leur faut pour la mairie, crois-moi.”

Carmela se tut un instant. Elle n’avait jamais entendu parler de cette guerre en Espagne. Ni des projets du Duce concernant cette partie du monde. Quelque chose en elle lui disait que la place des hommes de la famille n'était pas là-bas. Quelque chose comme un pressentiment viscéral. La vraie bataille des Scorta se jouait ici. A Montepuccio. Et pas en Espagne. En ce jour de 1936, comme en chaque jour de l'année, ils avaient besoin du clan tout entier. Le Duce et sa guerre d'Espagne pouvaient bien faire appel à d'autres hommes. Elle regarda longuement son mari et répéta simplement, à voix basse :

"Il n'y a que le tabac qui convienne aux Scorta."

Mais Antonio n'écoutait pas. Ou plutôt sa décision était prise et il avait déjà les yeux brillants de l'enfant qui rêve à des pays lointains.

"Aux Scorta, peut-être, dit-il. Mais je suis un Manuzio. Et toi aussi, depuis que je t'ai épousée."

Antonio Manuzio avait pris sa décision. Il était résolu à partir en Espagne. A se battre aux côtés des fascistes. Il voulait parfaire son éducation politique et embrasser cette nouvelle aventure.

Il expliqua encore, et jusque tard dans la nuit, pourquoi cette idée était rayonnante et comment, à son retour, il bénéficierait nécessairement de l'aura des héros. Carmela ne l'écoutait pas. Son grand jeune homme de mari continua à lui parler de la gloire fasciste et elle s'endormit.

Le lendemain, elle s'éveilla saisie de panique. Elle avait mille choses à faire. Se changer. Habiller les deux enfants. Faire son chignon. Vérifier que la chemise blanche qu'Antonio avait choisie était bien repassée. Gominer Elia et Donato, les parfumer pour qu'ils soient beaux comme des sous neufs. Ne pas oublier son éventail – car la journée était chaude et l'air ne tarderait sûrement pas à être suffocant. Elle était dans la même nervosité que s'il s'était agi de la communion de ses fils ou de son propre mariage. Il y avait tant de choses à faire. Ne rien oublier. Et tenter de ne pas être en retard. Elle allait d'un point à un autre de la maison, une brosse à la main, une épingle entre les lèvres, cherchant ses chaussures et maudissant sa robe qui semblait avoir rétréci et qu'elle avait du mal à boutonner.

Enfin, la famille fut prête. Il ne restait plus qu'à partir. Antonio redemanda une nouvelle fois où était le rendez-vous et Carmela répéta "Sanacore". "Mais où nous emmène-t-il ?" s'inquiéta Antonio. "Je ne sais pas, répondit-elle, c'est une surprise."

Ils partirent donc, quittant les hauteurs de Montepuccio, pour longer la route côtière jusqu'au lieudit. Ils s'engagèrent alors sur un petit chemin de contrebande qui les mena à une sorte de terre-plein qui dominait la mer. Ils restèrent là, un temps, indécis, ne sachant plus où aller, lorsqu'ils découvrirent un panneau en bois sur lequel était écrit *Trabucco Scorta* et qui indiquait un escalier. Au bout d'une interminable descente, ils arrivèrent à une vaste plateforme en bois, accrochée à la falaise, qui surplombait les vagues. C'était un de ces *trabucchi* dont est parsemée la côte des Pouilles. Ces plateformes de pêche ont l'air de grands squelettes de bois. Des amas de planches blanchies par le temps qui s'accrochent à la roche et qui semblent ne jamais devoir survivre à la tempête. Et pourtant, ils sont là. Depuis toujours. Dressant leur long mât au-dessus de l'eau. Résistant au vent et à la rage des vagues. On les utilisait autrefois pour pêcher sans avoir à prendre la mer. Mais les hommes les ont abandonnés et ce ne sont plus que d'étranges vigies qui fixent les flots en craquant sous le vent. On les croirait construits de bric et de broc. Et pourtant ces tours incertaines de planches résistent à tout. Sur la plateforme, c'est un fouillis indémêlable de cordes, de manivelles et de poulies. Lorsque les hommes sont à la manœuvre, tout craque et se tend. Le *trabucco* remonte ses filets avec lenteur et majesté tel un grand homme maigre qui plonge les mains dans l'eau et les remonte lentement comme s'il portait les trésors de la mer.

La famille de la femme de Raffaele possédait ce *trabucco*. Cela, les Scorta le savaient. Mais jusqu'à présent, il ne s'agissait que d'une structure à l'abandon qui ne servait plus à personne. Un tas de planches et de mâts vermoulus. Depuis plusieurs mois, Raffaele avait entrepris de restaurer le *trabucco*. Il le faisait le soir après sa journée de pêche. Ou les jours de gros temps. Toujours en cachette. Il avait travaillé avec acharnement et, pour surmonter les instants de découragement face à l'ampleur de la tâche, il avait pensé à la surprise que ce serait pour Domenico, Giuseppe et Carmela de découvrir cet endroit, entièrement neuf et praticable.

Les Scorta n'en revenaient pas. Non seulement une étrange sensation de solidité se dégageait de cet amas de bois, mais tout avait été décoré avec goût et coquetterie. Leur surprise grandit encore lorsqu'ils s'avancèrent et découvrirent qu'au centre de la plateforme, au milieu des cordes et des filets, trônait une énorme table sur laquelle avait été disposée une belle nappe blanche brodée à la main. D'un coin du *trabucco* montaient des odeurs de poissons et de laurier grillés. Raffaele sortit la tête d'un renfoncement où il avait installé un four à bois et un gril, un vaste sourire sur le visage, et hurla : "Asseyez-vous ! Bienvenue au *trabucco* ! Asseyez-vous !" Et à chaque question qu'on lui posait en l'embrassant, il riait avec un air de conspirateur. "Mais quand as-tu construit ce four ?" "Où as-tu trouvé cette table ?" "Il fallait nous dire d'apporter quelque chose..." Raffaele souriait et ne répondait que : "Asseyez-vous, ne vous occupez de rien, asseyez-vous."

Carmela et les siens étaient les premiers, mais à peine furent-ils assis que des grands cris leur parvinrent du petit escalier. Domenico et sa femme arrivaient avec leurs deux filles, suivis de Giuseppe, sa femme et leur petit Vittorio. Tout le monde était là. On s'embrassait. Les femmes se complimentaient sur l'élégance de leur tenue. Les hommes s'échangeaient des cigarettes et hissaient dans les airs leurs nièces et neveux, qui hurlaient de joie dans ces étreintes de géants. Carmela s'assit à l'écart quelques instants. Le temps pour elle de contempler cette petite communauté réunie. Tous ceux qu'elle aimait étaient là. Rayonnants dans la lumière d'un dimanche où les robes des femmes caressaient la blancheur des chemises des hommes. La mer était douce et heureuse. Elle sourit d'un sourire rare. Celui de la confiance en la vie. Son regard glissa sur chacun d'entre eux. Giuseppe et son épouse Mattea, une fille de pêcheur qui avait remplacé dans son vocabulaire personnel le mot "femme" par celui de "putain" ; si bien qu'il n'était pas rare de l'entendre saluer dans la rue une amie d'un tonitruant "*Ciao puttana !*" qui faisait rire les passants. Le regard de Carmela se posa sur les enfants avec douceur : Lucrezia et Nicoletta, les deux filles de Domenico qui avaient été affublées de belles robes blanches ; Vittorio, le fils de Giuseppe et Mattea à qui sa mère donnait le sein en murmurant : "Bois, couillon, bois, c'est tout pour toi" ; et Michele, le dernier du clan qui braillait dans ses langes et que toutes les femmes se passaient de main en main. Elle les contempla et se dit que tous allaient pouvoir être heureux. Simplement heureux.

Elle fut tirée de ses pensées par la voix de Raffaele qui hurla : "A table ! A table !" Elle se leva alors et fit ce qu'elle s'était promis de faire. S'occuper des siens. Rire avec eux. Les embrasser. Les entourer. Etre pour chacun, tour à tour, avec élégance et bonheur.

Ils étaient une quinzaine à table et ils se regardèrent un temps, surpris de constater à quel point le clan avait grandi. Raffaele rayonnait de bonheur et de gourmandise. Il avait tant rêvé de cet instant. Tous ceux qu'il aimait étaient là, chez lui, sur son *trabucco*. Il s'agitait d'un coin à un autre, du four à la cuisine, des filets de pêche à la table, sans relâche, pour que chacun soit servi et ne manque de rien.

Ce jour resta gravé dans la mémoire des Scorta. Car pour tous, adultes comme enfants, ce fut la première fois qu'ils mangèrent ainsi. L'oncle Faelucc' avait fait les choses en grand. Comme antipasti, Raffaele et Giuseppina apportèrent sur la table une dizaine de mets. Il y avait des moules grosses comme le pouce, farcies avec un mélange à base d'œufs, de mie de pain et de fromage. Des anchois marinés dont la chair était ferme et fondait sous la langue. Des pointes de poulpes. Une salade de tomates et de chicorée. Quelques fines tranches d'aubergine grillées. Des anchois frits. On se passait les plats d'un bout à l'autre de la table. Chacun piochait avec le bonheur de n'avoir pas à choisir et de pouvoir manger de tout.

Lorsque les assiettes furent vides, Raffaele apporta sur la table deux énormes saladiers fumants. Dans l'un, les pâtes traditionnelles de la région : les *troccoli* à l'encre de seiche. Dans l'autre, un risotto aux fruits de mer. Les plats furent accueillis avec un hourra général qui fit rougir la cuisinière. C'est le moment où l'appétit est ouvert et où l'on croit pouvoir manger pendant des jours. Raffaele posa également cinq bouteilles de vin du pays. Un vin rouge, rugueux, et sombre comme le sang du Christ. La chaleur était maintenant à son zénith. Les convives étaient protégés du soleil par une natte de paille, mais on sentait, à l'air brûlant, que les lézards eux-mêmes devaient suer.

Les conversations naissaient dans le brouhaha des couverts – interrompues par la question d'un enfant ou par un verre de vin qui se renversait. On parlait de tout et de rien. Giuseppina racontait comment elle avait fait les pâtes et le risotto. Comme si c'était encore un plaisir plus grand de parler de nourriture lorsque l'on mange. On discutait. On riait. Chacun veillait sur son voisin, vérifiant que son assiette ne se vide jamais.

Lorsque les grands plats furent vides, tous étaient rassasiés. Ils sentaient leur ventre plein. Ils étaient bien. Mais Raffaele n'avait pas dit son dernier mot. Il apporta en table cinq énormes plats remplis de toute sorte de poissons pêchés le matin même. Des bars, des dorades. Un plein saladier de calamars frits. De grosses crevettes roses grillées au feu de bois. Quelques langoustines même. Les femmes, à la vue des plats, jurèrent qu'elles n'y toucheraient pas. Que c'était trop. Qu'elles allaient mourir. Mais il fallait faire honneur à Raffaele et Giuseppina. Et pas seulement à eux. A la vie également qui leur offrait ce banquet qu'ils n'oublieraient jamais. On mange dans le Sud avec une sorte de frénésie et d'avidité goinfre. Tant qu'on peut. Comme si le pire était à venir. Comme si c'était la dernière fois qu'on mangeait. Il faut manger tant que la nourriture est là. C'est une sorte d'instinct panique. Et tant pis si on s'en rend malade. Il faut manger avec joie et exagération.

Les plats de poisson tournèrent et on les dégusta avec passion. On ne mangeait plus pour le ventre mais pour le palais. Mais malgré toute l'envie qu'on en avait, on ne parvint pas à venir à bout des calamars frits. Et cela plongea Raffaele dans un sentiment d'aise vertigineux. Il faut qu'il reste des mets en table, sinon, c'est que les invités n'ont pas eu assez. A la fin du repas, Raffaele se tourna vers son frère Giuseppe et lui demanda en lui tapotant le ventre : *"Pancia piena ?"* Et tout le monde rit, en déboutonnant sa ceinture ou en sortant son éventail. La chaleur avait baissé mais les corps repus commençaient à suer de toute cette nourriture ingurgitée, de toute cette joyeuse mastication. Alors Raffaele apporta en table des cafés pour les hommes et trois bouteilles de digestifs : une de grappa, une de *limoncello* et une d'alcool de laurier. Lorsque tous se furent servis, il leur dit :

"Vous le savez, tout le village nous appelle «les taciturnes». On dit que nous sommes les enfants de la Muette et que notre bouche ne nous sert à rien d'autre qu'à manger, jamais à parler. Très bien. Soyons-en fiers. Si cela peut éloigner les curieux et faire enrager ces corneculs, va pour les taciturnes. Mais que ce silence soit pour eux, pas pour nous. Je n'ai pas vécu tout ce que vous avez vécu. Il est probable que je crèverai à Montepuccio sans avoir jamais rien vu du monde que les collines sèches du pays. Mais vous êtes là, vous. Et vous savez bien plus de choses que moi. Promettez-moi de parler à mes enfants. De leur raconter ce que vous avez vu. Que ce que vous avez accumulé durant votre voyage à New York ne meure pas avec vous. Promettez-moi que chacun d'entre vous racontera une chose à mes enfants. Une chose qu'il a apprise. Un souvenir. Un savoir. Faisons cela entre nous. D'oncles à neveux. De tantes à nièces. Un secret que vous avez gardé pour vous et que vous ne direz à personne d'autre. Sans quoi nos enfants resteront des Montepucciens comme les autres. Ignorants du monde. Ne connaissant que le silence et la chaleur du soleil."

Les Scorta acquiescèrent. Oui. Qu'il en soit ainsi. Que chacun parle au moins une fois dans sa vie. A une nièce ou un neveu. Pour lui dire ce qu'il sait avant de disparaître. Parler une fois. Pour donner un conseil, transmettre ce que l'on sait. Parler. Pour ne pas être de simples bestiaux qui vivent et crèvent sous ce soleil silencieux.

Le repas était fini. Quatre heures après s'être mis à table, les hommes s'étaient jetés en arrière sur leurs chaises, les enfants étaient allés jouer dans les cordes et les femmes avaient commencé à débarrasser.

Ils étaient maintenant tous épuisés comme après une bataille. Epuisés et heureux. Car cette bataille-là, ce jour-là, avait été gagnée. Ils avaient joui, ensemble, d'un peu de vie. Ils s'étaient soustraits à la dureté des jours. Ce repas resta dans toutes les mémoires comme le grand banquet des Scorta. Ce fut la seule fois où le clan se retrouva au complet. Si les Scorta avaient eu un appareil photo, ils auraient immortalisé cet après-midi de partage. Ils étaient tous là. Parents et enfants. Ce fut l'apogée du clan. Et il aurait fallu que rien ne change.

Pourtant, les choses n'allaient pas tarder à se flétrir, le sol à se fissurer sous leurs pieds et les robes pastel des femmes à se noircir de la teinte laide du deuil. Antonio Manuzio allait partir pour l'Espagne, et y mourir d'une mauvaise blessure – sans gloire ni panache –, laissant Carmela veuve, avec ses deux fils. Ce serait le premier voile porté au bonheur de la famille. Domenico, Giuseppe et Raffaele décideraient de laisser le bureau de tabac à leur sœur, elle qui n'avait que cela et deux bouches à nourrir. Qu'Elia et Donato ne partent pas de rien, qu'ils ne connaissent pas la misère qu'avaient connue leurs oncles.

Le malheur allait fissurer les vies pleines de ces hommes et femmes, mais pour l'heure, personne n'y pensait. Antonio Manuzio se resservait un verre de grappa. Ils étaient tout à leur bonheur sous le regard généreux de Raffaele, que le spectacle de ses frères dégustant les poissons qu'il avait lui-même grillés faisait pleurer de joie.

A la fin du repas, ils avaient le ventre plein, les doigts sales, les chemises tachées et le front en sueur mais ils étaient béats. C'est à regret qu'ils quittèrent le *trabucco* pour retrouver leur vie.

Longtemps, l'odeur chaude et puissante du laurier grillé resta, pour eux, l'odeur du bonheur.

Vous comprenez pourquoi j'ai tremblé lorsque je me suis rendu compte, hier, que j'avais oublié le nom de Korni. Si j'oublie cet homme, ne serait-ce qu'une seconde, c'est que tout chavire. Je n'ai pas encore tout raconté, don Salvatore. Mais laissez-moi un peu de temps. Fumez. Fumez tranquillement.

A notre arrivée à Montepuccio, j'ai fait jurer à mes frères de ne jamais parler de notre échec new-yorkais. Nous avons mis Raffaele dans le secret le soir où nous avons enterré la Muette parce qu'il nous avait demandé de lui raconter notre voyage et qu'aucun d'entre nous ne voulait lui mentir. Il était des nôtres. Il a juré avec les autres. Et ils ont tous tenu parole. Je voulais que personne ne sache. Pour tout Montepuccio nous sommes allés à New York et avons vécu quelques mois là-bas. Le temps de faire un peu d'argent. A ceux qui nous demandaient pourquoi nous étions rentrés si vite, nous répondions qu'il n'était pas convenable de laisser notre mère seule ici. Que nous ne pouvions pas savoir qu'elle était morte. Cela suffisait. Les gens n'en demandaient pas davantage. Je ne voulais pas que l'on sache que les Scorta avaient été refusés là-bas. Ce que l'on dit de vous, l'histoire que l'on vous prête, c'est cela qui compte. Je voulais qu'on prête New York aux Scorta. Que nous ne soyons plus une famille de dégénérés ou de miséreux. Je connais les gens d'ici. Ils auraient parlé de la malchance qui s'acharnait sur nous. Ils auraient évoqué la malédiction de Rocco. Et on ne se libère pas de cela. Nous sommes revenus plus riches que nous n'étions partis. Il n'y a que cela qui compte. Je ne l'ai jamais dit à mes fils. Aucun de nos enfants ne le sait. J'ai fait jurer à mes frères et ils ont tenu parole. Il fallait que tout le monde puisse croire à New York. Nous avons même fait mieux. Nous avons raconté la ville et notre vie là-bas. Avec détail. Nous avons pu le faire parce que le vieux Korni l'avait fait avec nous. Lors du voyage de retour, il avait trouvé un homme qui parlait italien et lui avait demandé de nous traduire les lettres qu'il avait reçues de son frère. Nous l'avons écouté pendant des nuits entières. Je me souviens encore de certaines d'entre elles. Le frère du vieux Korni parlait de sa vie, de son quartier. Il décrivait les rues, les gens de son immeuble. Korni nous a fait entendre ces lettres et ce n'était pas une torture supplémentaire. Il nous ouvrait les portes de la ville. Nous y déambulions. Nous nous y installions en pensée. J'ai raconté à mes fils New York grâce aux lettres du vieux Korni. Giuseppe et Domenico ont fait de même. C'est pour cela, don Salvatore, que je vous ai apporté l'ex-voto "Naples-New York". Je vous demande de l'accrocher dans la nef. Un aller simple pour New York. Je voudrais qu'il soit dans l'église de Montepuccio. Et que les cierges brûlent pour le vieux Korni. C'est un mensonge. Mais vous comprenez, n'est-ce pas, que ça n'en est pas un ? Vous le ferez. Je veux que Montepuccio continue à croire que nous sommes allés là-bas. Lorsque Anna aura l'âge, vous le décrocherez et le lui donnerez. Elle vous posera des questions. Vous lui répondrez. Mais en attendant, je voudrais que les yeux des Scorta brillent de l'éclat de la grande cité de verre.

VI

LES MANGEURS DE SOLEIL

Un homme entra à Montepuccio, à dos d'âne, un matin d'août 1946. Il avait un long nez droit et des petits yeux noirs. Une face qui ne manquait pas de noblesse. Il était jeune, vingt-cinq ans peut-être, mais son long visage maigre lui donnait une sévérité qui le vieillissait. Les plus vieux du village repensèrent à Luciano Mascalzone. L'étranger avançait au même pas lent du destin. C'était peut-être quelque descendant. Mais il alla droit à l'église et avant même de défaire ses sacs, de nourrir sa monture ou de se laver, avant même de boire un peu d'eau et de s'étirer, à la stupeur générale, il sonna les cloches à toute volée. Montepuccio avait son nouveau curé : don Salvatore, que l'on ne tarderait pas à surnommer "le Calabrais".

Le jour même de son arrivée, don Salvatore donna la messe, devant trois vieilles femmes que la curiosité avait poussées à entrer dans l'église. Elles voulaient voir comment était fait le nouveau. Elles en restèrent médusées et lancèrent la rumeur que le jeune homme avait fait un prêche d'une violence inouïe. Cela intrigua les Montepucciens. Le lendemain, il en vint cinq de plus et ainsi de suite, jusqu'au premier dimanche. Ce jour-là, l'église était pleine. Les familles étaient venues au grand complet. Tous voulaient voir si le nouveau curé serait l'homme qui conviendrait ou s'il fallait lui réserver le même sort qu'à son prédécesseur. Don Salvatore ne sembla nullement intimidé. Au moment du prêche, il prit la parole avec autorité :

"Vous vous dites chrétiens, dit-il, et vous venez chercher réconfort auprès de Notre-Seigneur parce que vous le savez bon et juste en toute chose, mais vous entrez dans Sa demeure et vous avez les pieds sales et l'haleine chargée. Je ne parle pas de vos âmes, qui sont noires comme l'encre de seiche. Pécheurs. Vous êtes nés pécheurs, comme nous tous, mais vous vous complaisez dans cet état, comme le cochon se complaît dans la fange. Il y avait une couche épaisse de poussière sur les bancs de cette église lorsque j'y suis entré il y a quelques jours. Quel est ce village qui laisse la poussière recouvrir la demeure du Seigneur ? Pour qui vous prenez-vous pour tourner ainsi le dos à Notre-Seigneur ? Et ne me parlez pas de votre pauvreté. Ne me parlez pas de la nécessité de travailler jour et nuit, du peu de temps que laissent les champs. Je viens de terres où vos champs seraient considérés comme les jardins de l'Eden. Je viens de terres où le plus pauvre d'entre vous serait traité comme un prince. Non. Avouez-le, vous vous êtes perdus. Je sais vos cérémonies de paysans. Je les devine à regarder vos trognes. Vos exorcismes. Vos idoles de bois. Je sais vos infamies contre le Tout-Puissant, vos rites profanes. Avouez-le et repentez-vous, tas de torgneculs. L'Eglise peut vous offrir son pardon et faire de vous ce que vous n'avez jamais été, des chrétiens sincères et honnêtes. L'Eglise le peut car elle est bonne avec les siens, mais il faudra passer par moi et je suis venu ici pour vous faire une vie impossible. Si vous persévérez dans votre ignominie, si vous fuyez l'Eglise et méprisez son prêtre, si vous continuez à vous adonner à des rites de sauvages, écoutez ce qu'il adviendra, et n'en doutez pas : le ciel se couvrira et il pleuvra en été pendant trente jours et trente nuits. Les poissons éviteront vos filets. Les oliviers pousseront par les racines. Les ânes accoucheront de chats aveugles. Et de Montepuccio, bientôt, il ne restera rien. Car telle aura été la volonté de Dieu. Priez pour votre miséricorde. Amen."

L'assistance était stupéfaite. Au début, des grommellements s'étaient fait entendre. On protestait à voix basse. Mais petit à petit, le silence était revenu, un silence fasciné et admiratif. A la sortie de la messe, le verdict fut unanime : "Celui-là, il a de la trempe. Rien à voir avec ce cul blanc de Milanais."

Don Salvatore fut adopté. On avait aimé sa solennité. Il avait la rudesse de la terre du Sud et le regard noir des hommes sans peur.

Quelques mois après son arrivée, don Salvatore eut à faire face à son premier baptême du feu : la préparation de la fête patronale de Sant'Elia. Pendant une semaine, il ne dormit plus. La veille des festivités, il courait encore d'un point à un autre, les sourcils froncés. Les rues étaient habillées pour la fête. On avait accroché lampions et guirlandes. Le matin, au chant du coq, des coups de canon avaient fait trembler les murs des maisons. Tout était prêt. L'excitation montait. Les enfants trépignaient. Les femmes préparaient déjà le menu de ces jours de fête. Elles faisaient frire une par une, dans la sueur des cuisines, les tranches d'aubergine pour la *parmigiana*. L'église avait été décorée. Les statues de bois des saints avaient été sorties et présentées aux paroissiens : Sant'Elia, San Rocco et San Michele. Elles étaient couvertes de bijoux, comme l'usage le voulait : chaînes et médailles en or, offrandes qui scintillaient à la lueur des bougies.

A onze heures du soir, alors que tout Montepuccio était sur le corso, dégustant tranquillement des boissons fraîches ou des glaces, on entendit soudain un hurlement sauvage et don Salvatore apparut, livide, les yeux révulsés comme s'il avait vu le diable, les lèvres pâles, proche de l'évanouissement. Il hurla d'une voix d'animal blessé : "On a volé les médailles de San Michele !" et d'un coup, tout le village se tut. Le silence dura, le temps pour chacun de réaliser vraiment ce que le curé venait de dire. Les médailles de San Michele. Volées. Ici. A Montepuccio. C'était impossible.

Alors, subitement, le silence se transforma en rumeur sourde de colère et tous les hommes se levèrent. Qui ? Qui avait bien pu commettre pareil crime ? Qui ? C'était une offense pour tout le village. On n'avait pas souvenir d'une chose pareille. Voler San Michele ! La veille de la fête ! Cela porterait le mauvais œil sur tous les Montepucciens. Un groupe d'hommes retourna à l'église. On posa des questions à ceux qui étaient venus prier. Avaient-ils vu un étranger rôder dans les parages ? Quelque chose d'anormal ? On chercha partout. On vérifia que les médailles n'étaient pas tombées au pied de la statue. Rien. Personne n'avait rien vu. Don Salvatore continuait à répéter : "Malédiction ! Malédiction ! Ce village est un ramassis de criminels !" Il voulait tout annuler. La procession. La messe. Tout.

Chez Carmela, la consternation était la même que partout ailleurs. Giuseppe était venu manger. Pendant tout le repas, Elia n'avait cessé de se tortiller sur sa chaise. Lorsque sa mère, enfin, débarrassa son assiette, il s'exclama :

"Quand même ! Vous avez vu la tête de don Salvatore !"

Et il se mit à rire d'un certain rire qui fit blêmir sa mère. Elle comprit sur-le-champ.

"C'est toi ? Elia ? C'est toi ?" demanda-t-elle, la voix tremblante.

Et le garçon se mit à rire de plus belle, de ce rire fou que les Scorta connaissaient bien. Oui. C'était lui. Quelle blague tout de même. La tête de don Salvatore. Et quelle panique dans tout le village !

Carmela était blême. Elle se tourna vers son frère et lui dit d'une voix faible comme si elle était mourante :

"Je m'en vais. Tue-le, toi."

Elle se leva et claqua la porte. Elle alla droit chez Domenico à qui elle raconta tout. Giuseppe, de son côté, laissa monter en lui la colère. Il pensa à ce que dirait le village. Il pensa à la honte qui rejaillirait sur eux. Lorsqu'il sentit enfin son sang bouillir, il se leva et corrigea son neveu comme jamais aucun oncle ne le fit. Il lui ouvrit l'arcade sourcilière et lui fendit la lèvre. Puis il s'assit à ses côtés. La colère était tombée mais il ne sentait aucun soulagement. Une grande désolation lui emplissait le cœur. Il avait frappé mais, au bout du compte, le résultat était le même, il n'y avait pas d'issue. Alors, se retournant vers le visage tuméfié de son neveu, il lui dit :

"Ça, c'était la colère d'un oncle. Je te laisse à la colère du village."

Il allait sortir, laissant ainsi le garçon à son sort, lorsqu'il se souvint d'une chose.

"Où as-tu mis les médailles ? demanda-t-il.

— Sous mon oreiller", répondit Elia entre deux hoquets.

Giuseppe alla dans la chambre du garçon, passa la main sous l'oreiller, prit le sac dans lequel le voleur avait enfoui son trésor et, mortifié, la tête basse et le regard mort, alla droit à l'église. "Que la fête de Sant'Elia ait lieu, au moins, se disait-il. Tant pis si on nous massacre pour avoir engendré pareil mécréant, mais que la fête ait lieu."

Giuseppe ne cacha rien. Il réveilla don Salvatore et, sans lui laisser le temps de retrouver ses esprits, il lui tendit les médailles en lui disant :

"Don Salvatore, je vous rapporte les médailles du saint. Je ne vous cacherai pas qui est le criminel, Dieu le sait déjà. C'est mon neveu, Elia. S'il survit à la correction que je lui ai administrée, il ne lui restera plus qu'à se mettre en paix avec le Seigneur, avant que les Montepucciens lui tombent dessus. Je ne vous demande rien. Aucune faveur. Aucune clémence. Je suis juste venu vous rapporter les médailles. Que la fête ait lieu demain, comme tous les 20 juillet, à Montepuccio, depuis que le monde est monde."

Puis, sans attendre de réponse du curé qui était resté médusé, partagé entre la joie, le soulagement et la colère, il tourna les talons et rentra chez lui.

Giuseppe avait raison de penser que la vie de son neveu était en danger. Sans qu'on sache comment, la rumeur était née, la nuit même, qu'Elia Manuzio était le voleur mécréant. Des groupes d'hommes s'étaient déjà formés, jurant d'infliger une correction mémorable au profanateur. On le cherchait partout.

La première chose que fit Domenico lorsqu'il vit arriver sa sœur en pleurs fut d'aller chercher son pistolet. Il était bien décidé à s'en servir si on lui barrait la route. Il alla directement chez Carmela où il trouva son neveu, à demi assommé. Il le releva et, sans même prendre le temps de lui nettoyer le visage, il le monta sur une de ses mules et l'emmena dans une petite baraque en pierre, au milieu de ses champs d'oliviers. Il le jeta sur une paillasse. Le fit boire un peu. Et l'enferma pour la nuit.

Le lendemain, la fête de Sant'Elia eut lieu normalement. Plus rien des drames de la veille ne paraissait sur les visages. Domenico Scorta participa à la fête, comme à son habitude. Il porta l'idole de San Michele durant la procession et dit à qui voulait bien l'entendre que son dégénéré de neveu était un misérable et que, s'il ne craignait pas de verser son propre sang, il le tuerait à mains nues. Personne ne soupçonna un instant qu'il était le seul à savoir où se cachait Elia.

Le jour d'après, des groupes d'hommes se remirent à la recherche du criminel. La messe et la procession avaient pu avoir lieu, l'essentiel avait été sauvé, mais restait maintenant à punir le voleur, et de façon magistrale, pour que cela ne se reproduise jamais. Pendant dix jours, on traqua Elia. On le chercha partout dans le village. Domenico, au milieu de la nuit, sortait et allait le ravitailler en cachette. Il ne parlait pas. Ou très peu. Il lui donnait à boire. A manger. Et repartait. En prenant toujours soin de l'enfermer derrière lui. Au bout de dix jours, les recherches cessèrent et le village se calma. Mais il était impensable qu'il redescende à Montepuccio. Domenico lui trouva une place chez un vieil ami de San Giocondo. Le père de quatre fils qui travaillaient dur dans les champs. Il fut convenu qu'Elia y resterait un an et qu'après seulement, il reviendrait à Montepuccio.

Lorsque l'âne fut chargé de quelques affaires, Elia se tourna vers son oncle et lui dit : "Merci, *zio*", avec les yeux pleins de repentance. L'oncle d'abord ne répondit rien. Le soleil se levait sur les collines. Une belle lueur rosée venait chatouiller les crêtes. Il se tourna alors vers son neveu et lui dit ces paroles qu'Elia n'oublia jamais. Dans cette belle lumière d'un jour naissant, il lui révéla ce qu'il considérait, lui, Domenico, comme sa sagesse personnelle :

"Tu n'es rien, Elia. Ni moi non plus. C'est la famille qui compte. Sans elle tu serais mort et le monde aurait continué de tourner sans même s'apercevoir de ta disparition. Nous naissons. Nous mourons. Et dans l'intervalle, il n'y a qu'une chose qui compte. Toi et moi, pris seuls, nous ne sommes rien. Mais les Scorta, les Scorta, ça, c'est quelque chose. C'est pour ça que je t'ai aidé. Pour rien d'autre. Tu as une dette désormais. Une dette envers ceux de ton nom. Un jour, dans vingt ans peut-être, tu t'acquitteras de cette dette. En aidant un des nôtres. C'est pour cela que je t'ai sauvé, Elia. Parce que nous aurons besoin de toi quand tu seras devenu quelqu'un de meilleur – comme nous avons besoin de chacun de nos fils. N'oublie pas cela. Tu n'es rien. Le nom des Scorta passe à travers toi. C'est tout. Va maintenant. Et que Dieu, ta mère et le village te pardonnent."

L'exil de son frère plongea Donato dans une mélancolie d'enfant-loup. Il ne parlait plus. Ne jouait plus. Se plantait des heures entières au milieu du corso, immobile, et lorsque Carmela lui demandait ce qu'il faisait, il répondait invariablement : "J'attends Elia."

Cette solitude subite qui lui était imposée dans ses jeux d'enfant avait fait chavirer son monde. Si Elia n'était plus là, le monde devenait laid et ennuyeux.

Un matin, devant sa tasse de lait, Donato regarda sa mère avec de grands yeux sérieux et lui demanda :

"Maman ?

— Oui, répondit-elle.

— Si je vole les médailles de San Michele, je pourrai rejoindre Elia ?"

La question horrifia Carmela. Elle resta bouche bée. Et se précipita chez son frère Giuseppe à qui elle raconta la scène.

"Peppe, ajouta-t-elle, il faut que tu t'occupes de Donato, sans quoi il va commettre un crime.

A moins qu'il ne se laisse mourir. Il ne veut plus rien manger. Il ne parle plus que de son frère. Emmène-le avec toi et fais-le sourire. On ne devrait pas avoir les yeux morts lorsqu'on a son âge. Ce gamin a bu la tristesse du monde."

Giuseppe s'exécuta. Le soir même, il alla chercher son neveu et l'emmena au port où il le fit monter dans sa barque. Lorsque Donato demanda où ils allaient, Peppe répondit qu'il était temps, pour lui, de comprendre un certain nombre de choses.

Les Scorta faisaient de la contrebande. Depuis toujours. Ils avaient commencé pendant la guerre. Les tickets de rationnement représentaient un sérieux frein au commerce. Le fait qu'il y ait un nombre limité de paquets de cigarettes pouvant être vendus par habitant était une aberration pour Carmela. Elle commença avec les soldats anglais qui cédaient volontiers quelques cartouches contre des jambons. Il suffisait de trouver les soldats non fumeurs. Puis Giuseppe fut chargé du trafic avec l'Albanie. Des barques accostaient de nuit, pleines de cigarettes volées à des dépôts de l'Etat ou à d'autres tabacs de la région. Les cartons clandestins coûtaient moins cher et permettaient d'entretenir une caisse qui échappait aux contrôles fiscaux.

Giuseppe avait décidé de faire faire à Donato son premier voyage de contrebandiers. Ils firent route, au rythme lent des rames, vers la crique de Zaiana. Là, un petit bateau à moteur les attendait.

Giuseppe salua un homme qui parlait mal l'italien et ils chargèrent, dans leur barque, dix caisses de cigarettes. Puis, dans la nuit calme qui était tombée sur les eaux, ils retournèrent à Montepuccio. Sans échanger un mot.

Lorsqu'ils arrivèrent au port, une chose inattendue se produisit. Le petit Donato ne voulut pas descendre. Il resta au fond de la barque, l'air décidé, les bras croisés.

"Qu'y a-t-il, Donato ?" lui demanda son oncle, amusé.

Le petit le regarda longuement, puis demanda d'une voix posée :

"Tu fais cela souvent, *zio* ?

— Oui, répondit Giuseppe.

— Et toujours la nuit ?

— Oui, toujours la nuit, répondit l'oncle.

— C'est comme ça que tu gagnes de l'argent ? demanda l'enfant.

— Oui."

L'enfant garda le silence encore un temps. Puis d'une voix qui ne tolérait aucun commentaire, il déclara :

"Moi aussi, je veux faire ça."

Ce voyage nocturne l'avait saisi de bonheur. Le bruit des vagues, l'obscurité, le silence, il y avait là quelque chose de mystérieux et de sacré qui l'avait bouleversé. Ces voyages au fil de l'eau. Toujours de nuit. La clandestinité comme métier. Cela lui sembla fabuleux de liberté et d'audace.

Sur le chemin du retour, impressionné par l'engouement de son neveu, Giuseppe le prit par les épaules et lui dit :

"Il faut se débrouiller, Donato. Souviens-toi de cela. Se débrouiller. Ne te laisse pas dire ce qui est illégal, interdit ou dangereux. La vérité, c'est qu'il faut nourrir les siens et c'est tout."

L'enfant resta songeur. C'était la première fois que son oncle lui parlait ainsi, avec cette voix sérieuse. Il avait écouté et, ne sachant que répondre à cette règle qui venait d'être énoncée, il garda le silence, fier de voir que son oncle le considérait comme un homme à qui on pouvait parler.

Domenico fut le seul à voir Elia durant son année d'exil. Alors que pour tout le monde, le vol des médailles de San Michele avait été comme une gifle cinglante, ce fut, pour Domenico, l'occasion de découvrir son neveu. Quelque chose dans ce geste lui était sympathique.

A la date anniversaire du vol de San Michele, Domenico vint à l'improviste dans la famille qui hébergeait Elia, demanda à le voir et, lorsqu'il parut, le prit par le bras et l'emmena marcher dans les collines. L'oncle et le neveu discutèrent au rythme lent de la marche. A la fin, Domenico se tourna vers Elia et, lui tendant une enveloppe, il lui dit :

"Elia, dans un mois, si tout va bien, tu pourras revenir au village. Je pense qu'on t'y acceptera. Plus personne ne parle de ton crime. Les esprits se sont calmés. Une nouvelle fête de Sant'Elia va avoir lieu. Dans un mois, si tu le veux, tu peux être à nouveau parmi nous. Mais je suis venu ici te proposer autre chose. Tiens. Prends cette enveloppe. C'est de l'argent. Beaucoup d'argent. De quoi vivre six mois. Prends. Et pars. Où tu veux. A Naples.

A Rome. Ou à Milan. Je t'enverrai davantage si l'enveloppe ne suffit plus. Comprends-moi bien, Elia, je ne te chasse pas. Mais je veux que tu aies le choix. Tu peux être le premier des Scorta à quitter cette terre. Tu es le seul à en être capable. Ton vol le prouve. Tu as du cran. Ton exil t'a mûri. Tu n'as besoin de rien d'autre. Je n'ai rien dit à personne. Ta mère ne sait rien. Ni tes oncles. Si tu décides de partir, je prends sur moi de leur expliquer. Maintenant écoute, Elia, écoute, il te reste un mois. Je te laisse l'enveloppe. Je veux que tu réfléchisses."

Domenico embrassa son neveu sur le front et l'étreignit. Elia était abasourdi. Les désirs, les craintes se bousculaient en lui. La gare de Milan. Les grandes villes du Nord, enveloppées dans un nuage de fumée d'usines. La vie solitaire de l'émigré. Son esprit ne parvenait pas à se frayer un chemin dans cet amas d'images. Son oncle l'avait appelé Scorta. Qu'avait-il voulu dire ? Avait-il simplement oublié que son vrai nom à lui était Manuzio ?

Un mois plus tard, on frappa à la porte de la belle bâtisse de Domenico, à l'heure où la lumière du matin commence à chauffer les pierres. Domenico alla ouvrir. Elia était face à lui. Souriant. Il lui tendit d'emblée l'enveloppe pleine de l'argent du voyage.

"Je reste ici, dit-il.

— Je le savais, répondit l'oncle dans un murmure.

— Comment ? demanda Elia, intrigué.

— Il fait trop beau en ce moment", dit Domenico. Et comme Elia ne comprenait pas, il lui fit signe de rentrer, lui servit à boire et lui expliqua. "Il fait trop beau. Depuis un mois, le soleil tape. Il était impossible que tu partes. Lorsque le soleil règne dans le ciel, à faire claquer les pierres, il n'y a rien à faire. Nous l'aimons trop, cette terre. Elle n'offre rien, elle est plus pauvre que nous, mais lorsque le soleil la chauffe, aucun d'entre nous ne peut la quitter. Nous sommes nés du soleil, Elia. Sa chaleur, nous l'avons en nous. D'aussi loin que nos corps se souviennent, il était là, réchauffant nos peaux de nourrissons. Et nous ne cessons de le manger, de le croquer à pleines dents. Il est là, dans les fruits que nous mangeons. Les pêches. Les olives. Les oranges. C'est son parfum. Avec l'huile que nous buvons, il coule dans nos gorges. Il est en nous. Nous sommes les mangeurs de soleil. Je savais que tu ne partirais pas. S'il avait plu ces derniers jours, peut-être, oui. Mais là, c'était impossible."

Elia écoutait avec amusement cette théorie que Domenico exposait avec une certaine emphase – comme pour montrer que lui-même n'y croyait qu'à moitié. Il était heureux. Et il voulait parler. C'était sa façon de remercier Elia d'être revenu. Alors le jeune homme reprit la parole et lui dit :

"Je suis revenu pour toi, *zio*. Je n'ai pas envie d'apprendre la nouvelle de ta mort par un coup de téléphone lointain et de pleurer, seul, dans une chambre à Milan. Je veux être là. A tes côtés. Et profiter de toi."

Domenico écoutait son neveu avec une tristesse dans les yeux. Bien sûr, il était ravi du choix d'Elia. Bien sûr, pendant des nuits, il avait prié pour que le jeune homme ne choisisse pas le départ, mais quelque chose en lui ressentait ce retour comme une capitulation. Cela lui rappelait l'échec new-yorkais. Jamais un Scorta, donc, ne pourrait se soustraire à cette terre misérable. Jamais un Scorta n'échapperait au soleil des Pouilles. Jamais.

Lorsque Carmela vit son fils, accompagné de Domenico, elle se signa et remercia le ciel. Elia était là. Après plus d'un an d'absence. Il marchait d'un pas décidé sur le corso, et personne ne lui barrait la route. Aucun murmure. Aucun regard noir. Aucun groupe d'hommes pour se former dans son dos. Montepuccio avait pardonné.

Donato fut le premier à se précipiter dans les bras d'Elia en poussant des cris de joie. Son grand frère était de retour. Il avait hâte de lui raconter tout ce qu'il avait appris en son absence : les voyages nocturnes sur la mer, la contrebande, les caches pour les caisses de cigarettes illégales. Il voulait tout lui expliquer mais pour l'heure, il se contentait de le serrer dans ses bras en silence.

La vie reprit à Montepuccio. Elia travaillait avec sa mère, au tabac. Donato demandait tous les jours à son oncle Giuseppe s'il pouvait venir avec lui, si bien que le brave homme finit par prendre l'habitude de l'emmener chaque fois qu'il prenait la mer de nuit.

Elia, dès qu'il le pouvait, allait rejoindre Domenico sur ses terres. L'aîné des Scorta vieillissait doucement, au fil des étés. L'homme dur et renfermé s'était transformé en un être doux au regard bleu, qui n'était pas dénué d'une noble beauté. Il s'était pris de passion pour les oliviers et avait réussi à réaliser son rêve : devenir propriétaire de plusieurs hectares. Il aimait plus que tout contempler ces arbres centenaires, lorsque la chaleur tombait et que le vent de la mer faisait frémir les feuilles. Il ne s'occupait plus que de ses oliviers. Il disait toujours que l'huile d'olive était le salut du Sud. Il regardait le liquide couler lentement des bouteilles et ne pouvait réprimer un sourire d'aise.

Lorsque Elia lui rendait visite, il l'invitait toujours à s'asseoir sur la grande terrasse. Il faisait apporter quelques tranches de pain blanc et un flacon d'huile de sa production et ils dégustaient ce nectar avec recueillement :

"C'est de l'or, disait l'oncle. Ceux qui disent que nous sommes pauvres n'ont jamais mangé un bout de pain baigné de l'huile de chez nous. C'est comme de croquer dans les collines d'ici. Ça sent la pierre et le soleil. Elle scintille. Elle est belle, épaisse, onctueuse. L'huile d'olive, c'est le sang de notre terre. Et ceux qui nous traitent de culs-terreux n'ont qu'à regarder le sang qui coule en nous. Il est doux et généreux. Parce que c'est ce que nous sommes : des culs-terreux au sang pur. De pauvres bougres à la face ravinée par le soleil, aux mains calleuses, mais au regard droit. Regarde la sécheresse de cette terre tout autour de nous, et savoure la richesse de cette huile. Entre les deux, il y a le travail des hommes. Et elle sent cela aussi, notre huile. La sueur de notre peuple. Les mains calleuses de nos femmes qui ont fait la cueillette. Oui. Et c'est noble. C'est pour cela qu'elle est bonne. Nous sommes peut-être des miséreux et des ignares, mais pour avoir fait de l'huile avec des caillasses, pour avoir fait tant avec si peu, nous serons sauvés. Dieu sait reconnaître l'effort. Et notre huile d'olive plaidera pour nous."

Elia ne répondait rien. Mais cette terrasse qui dominait les collines, cette terrasse où aimait s'asseoir son oncle était le seul endroit où il se sentait vivre. Ici, il respirait.

Domenico allait de moins en moins au village. Il préférait s'asseoir sur une chaise au milieu de ses arbres et rester ainsi, à l'ombre d'un olivier, à regarder le ciel changer de couleur. Mais il y avait un rendez-vous qu'il ne manquait pour rien au monde. Les soirs d'été, tous les jours, à sept heures, il se retrouvait avec ses deux frères, Raffaele et Giuseppe, sur le corso. Ils s'asseyaient à la terrasse d'un café, toujours le même, *Da Pizzone*, où leur table les attendait. Peppino, le propriétaire du café, venait les rejoindre et ils jouaient aux cartes. De sept heures à neuf heures. Ces parties-là étaient leur rendez-vous sacré. Ils dégustaient un San Bitter ou un alcool d'artichaut et abattaient leurs cartes en tapant sur le bois de la table, dans les rires et les cris. Ils hurlaient. Se traitaient de tous les noms. Maudissaient le ciel à chaque partie perdue ou bénissaient Sant'Elia et la Madone quand ils étaient en veine. Ils se provoquaient gentiment, charriaient le malchanceux, se donnaient des tapes dans le dos. Ils étaient tout à leur bonheur. Oui. Dans ces instants-là, rien ne leur manquait. Peppino rapportait des boissons lorsque les verres étaient vides. Donnait quelques nouvelles du village. Giuseppe hélait les gamins du quartier qui l'appelaient tous "*zio*" parce qu'il leur donnait toujours une pièce pour qu'ils aillent s'acheter des amandes grillées. Ils jouaient aux cartes et le temps n'existait plus. Ils étaient là, sur cette terrasse, dans la douceur merveilleuse des fins d'après-midi d'été, chez eux. Et le reste ne comptait pas.

Un jour de juin, Domenico ne se présenta pas au *Da Pizzone* à sept heures. On attendit un peu. En vain. Raffaele et Giuseppe sentirent que quelque chose de grave venait d'arriver. Ils se précipitèrent au tabac pour savoir si Elia avait vu son oncle. Rien. Ils coururent alors à la propriété, avec la certitude, dans les veines, qu'ils seraient bientôt face au pire. Ils trouvèrent leur frère assis sur sa chaise, au milieu des oliviers, les bras ballants, la tête penchée sur son torse, le chapeau à terre. Mort. Calmement. Une petite brise chaude lui soulevait doucement les mèches de cheveux. Les oliviers, autour de lui, le protégeaient du soleil et l'entouraient d'un doux bruit de feuilles.

“Depuis la mort de Mimi, je n’arrête pas de penser à une chose.”

Giuseppe avait parlé à voix basse, sans lever les yeux. Raffaele le regarda, attendit de voir si la suite de la phrase venait, puis, constatant que Giuseppe ne se lançait pas, lui demanda avec douceur :

“A quoi ?”

Giuseppe hésita encore, puis finit par soulager son esprit.

“Quand avons-nous été heureux ?”

Raffaele regarda son frère avec une sorte de compassion. La mort de Domenico avait ébranlé Giuseppe de façon inattendue. Depuis l’enterrement, il avait vieilli d’un coup, perdant cet air joufflu qu’il avait eu toute sa vie et qui lui donnait, même à l’âge mûr, un air de jeune homme. La mort de Domenico avait sonné le départ et Giuseppe dorénavant se tenait prêt, sachant d’instinct qu’il serait le prochain. Raffaele demanda à son frère :

“Et alors ? Qu’est-ce que tu réponds à cette question ?”

Giuseppe gardait le silence comme s'il avait un crime à confesser. Il semblait hésiter.

"C'est cela, justement, dit-il avec timidité. J'ai réfléchi. J'ai tenté de faire la liste des moments de bonheur que j'ai connus.

— Il y en a beaucoup ?

— Oui. Beaucoup. Enfin, je crois. Suffisamment. Le jour de l'achat du bureau de tabac. La naissance de Vittorio. Mon mariage. Mes neveux. Mes nièces. Oui. Il y en a.

— Pourquoi as-tu cet air triste alors ?

— Parce que lorsque j'essaie de n'en retenir qu'un, le souvenir le plus heureux de tous, sais-tu lequel me vient à l'esprit ?

— Non.

— Ce jour où tu nous as invités tous, pour la première fois, au *trabucco*. C'est ce souvenir-là qui s'impose. Ce banquet. Nous avons mangé et bu comme des bienheureux.

— *Pancia piena ?* dit Raffaele en riant.

— Oui. *Pancia piena*, reprit Giuseppe les larmes aux yeux.

— Qu'est-ce qu'il y a de triste à cela ?

— Que dirais-tu, répondit Giuseppe, d'un homme qui, au terme de sa vie, déclarerait que le jour le plus heureux de son existence fut celui d'un repas ? Est-ce qu'il n'y a pas de joies plus grandes dans la vie d'un homme ? N'est-ce pas le signe d'une vie misérable ? Est-ce que je ne devrais pas avoir honte ? Et pourtant, je t'assure, chaque fois que j'y réfléchis, c'est ce souvenir-là qui s'impose. Je me souviens de tout. Il y avait du risotto aux fruits de mer qui fondait dans la bouche. Ta Giuseppina portait une robe bleu ciel. Elle était belle comme un cœur et s'activait de la table à la cuisine, sans cesse. Je me souviens de toi, au four, suant comme un travailleur à la mine. Et le bruit des poissons qui sifflaient sur le gril. Tu vois. Après une vie entière, c'est le souvenir le plus beau de tous. Est-ce que cela ne fait pas de moi le plus misérable des hommes ?"

Raffaele avait écouté avec douceur. La voix de son frère lui avait fait revivre ce repas. Il avait revu, lui aussi, la congrégation joyeuse des Scorta. Les plats qui passaient de main en main. Le bonheur de manger ensemble.

"Non, Peppe, dit-il à son frère, tu as raison. Qui peut se vanter d'avoir connu pareil bonheur ? Nous ne sommes pas si nombreux. Et pourquoi faudrait-il le mépriser ? Parce que nous mangions ? Parce que ça sentait la friture et que nos chemises étaient mouchetées de sauce tomate ? Heureux celui qui a connu ces repas-là. Nous étions ensemble. Nous avons mangé, discuté, crié, ri et bu comme des hommes. Côte à côte. C'étaient des instants précieux, Peppe. Tu as raison. Et je donnerais cher pour en connaître à nouveau la saveur. Entendre à nouveau vos rires puissants dans l'odeur du laurier grillé."

Domenico fut le premier à partir, mais Giuseppe ne lui survécut pas de beaucoup. L'année suivante, il fit une mauvaise chute dans les escaliers du vieux village et perdit connaissance. Le seul hôpital du Gargano était à San Giovanni Rotondo, à deux heures de route de Montepuccio. Giuseppe fut mis dans une ambulance qui se lança sur les routes des collines en faisant hurler sa sirène. Les minutes passaient avec la lenteur d'un couteau qui glisse sur la peau. Giuseppe faiblissait. Après quarante minutes de route, l'ambulance semblait toujours être un point minuscule dans une immensité de rocailles. Giuseppe eut alors un instant de rémission et de lucidité. Il se tourna vers l'infirmier et lui dit avec la détermination des mourants :

"Dans une demi-heure, je serai mort. Vous le savez. Une demi-heure. Je ne tiendrai pas plus. Nous n'aurons pas le temps d'arriver à l'hôpital. Alors faites marche arrière et roulez à toute vitesse. Vous avez encore le temps de me rendre à mon village. C'est là-bas que je veux mourir."

Les deux infirmiers prirent ces paroles pour l'expression d'une dernière volonté et s'exécutèrent.

Dans l'immensité pauvre des collines, l'ambulance fit demi-tour et reprit sa course folle, toutes sirènes hurlantes, vers Montepuccio. Elle arriva à temps. Giuseppe eut la satisfaction de mourir sur la place principale, au milieu des siens, stupéfaits devant le retour de cette ambulance qui avait baissé les bras devant la mort.

Carmela porta le deuil de façon définitive. Ce qu'elle n'avait pas fait pour son époux, elle le fit pour ses frères. Raffaele était inconsolable. C'était comme si on lui avait coupé les doigts de la main. Il errait dans le village, sans savoir que faire de lui-même. Il ne pensait qu'à ses frères. Il retournait tous les jours au *Da Pizzone* et disait à son ami :

"Vivement qu'on les rejoigne, Peppino. Ils sont tous les deux là-bas, nous tous les deux ici, et plus personne ne peut jouer aux cartes."

Il allait tous les jours au cimetière où il parlait pendant des heures aux ombres. Un jour, il y emmena son neveu, Elia, et, devant la tombe des deux oncles, il se décida à parler. Il avait longtemps repoussé le moment de le faire, tant il lui semblait n'avoir rien à apprendre à personne, lui qui n'avait jamais voyagé. Mais il avait promis. Le temps passait et il ne voulait pas mourir sans avoir tenu parole. Alors, devant la tombe des deux oncles, il posa sa main sur la nuque d'Elia et lui dit :

"Nous n'avons été ni meilleurs ni pires que les autres, Elia. Nous avons essayé. C'est tout. De toutes nos forces, nous avons essayé. Chaque génération essaie. Construire quelque chose. Consolider ce que l'on possède. Ou l'agrandir. Prendre soin des siens. Chacun essaie de faire au mieux. Il n'y a rien à faire d'autre que d'essayer. Mais il ne faut rien attendre de la fin de la course. Tu sais ce qu'il y a, à la fin de la course ? La vieillesse. Rien d'autre. Alors écoute, Elia, écoute ton vieil oncle Faelucc' qui ne sait rien de rien et n'a pas fait d'études. Il faut profiter de la sueur. C'est ce que je dis, moi. Car ce sont les plus beaux moments de la vie. Quand tu te bats pour quelque chose, quand tu travailles jour et nuit comme un damné et que tu n'as plus le temps de voir ta femme et tes enfants, quand tu sues pour construire ce que tu désires, tu vis les plus beaux moments de ta vie. Crois-moi. Rien ne valait pour ta mère, tes oncles et moi les années où nous n'avions rien, pas un sou en poche, et où nous nous sommes battus pour le bureau de tabac. C'étaient des années dures. Mais pour chacun d'entre nous, ce furent les plus beaux instants de notre vie. Tout à construire et un appétit de lion. Il faut profiter de la sueur, Elia. Souviens-toi de cela. Après, tout finit si vite, crois-moi."

Raffaele en avait les larmes aux yeux. Parler de ses deux frères et de ces années lumineuses où ils avaient vécu dans le partage de tout le remuait comme un enfant.

"Tu pleures ? demanda Elia que la vue de son oncle dans une telle émotion impressionnait beaucoup.

— Oui, *amore di zio* *, répondit Raffaele, mais c'est bon. Crois-moi. C'est bon."

* Littéralement "amour d'oncle", formule affectueuse pour désigner son neveu

Je vous l'ai dit, don Salvatore, j'avais une dette vis-à-vis de mes frères. Une dette immense. Je savais qu'il me faudrait des années pour la payer. Ma vie tout entière peut-être. Je m'en moquais. C'était comme un devoir. Mais ce que je n'avais pas prévu, c'est que je puisse, un jour, cesser de vouloir la rembourser. Je m'étais juré de tout leur donner. Travailler toute ma vie et leur offrir ce que j'avais accumulé. Je leur devais bien cela. Je m'étais juré d'être une sœur. De n'être que cela. Et c'est ce que j'ai fait, don Salvatore. J'ai été une sœur. Toute ma vie. Mon mariage n'y a rien changé. La preuve en est que ce que diront les gens en apprenant ma mort, ce n'est pas : "La veuve Manuzio est décédée." Personne ne sait qui est la veuve Manuzio. Ils diront : "La sœur des Scorta est morte." Tout le monde comprendra qu'il s'agit de moi, Carmela. Je suis heureuse qu'il en soit ainsi. C'est ce que je suis. Ce que j'ai toujours été. Une sœur pour mes frères. Antonio Manuzio m'a donné son nom mais je n'en ai pas voulu. Est-ce honteux de dire cela ? Je n'ai pas cessé d'être une Scorta. Antonio n'a fait que traverser ma vie.

Je n'ai connu le bonheur que lorsque j'étais entourée de mes frères. De mes trois frères. Lorsque nous étions ensemble, nous pouvions manger le monde. Je pensais que cela allait continuer ainsi, jusqu'à la fin. Je me suis menti. La vie a continué et le temps s'est chargé de tout changer, imperceptiblement. Il a fait de moi une mère.

Nous avons tous eu des enfants. Le clan s'est agrandi. Je n'ai pas vu que cela changeait tout. Mes fils sont nés. J'étais mère. Et de ce jour, je suis devenue une louve. Comme toutes les mères. Ce que je construisais était pour eux. Ce que j'accumulais était pour eux. J'ai tout gardé pour Elia et Donato. Une louve, don Salvatore. Qui ne pense qu'aux siens et mord si l'on s'approche. J'avais une dette et elle est restée impayée. Ce que je devais donner à mes frères, il aurait fallu le prendre à mes fils. Qui aurait pu faire cela ? J'ai fait comme toutes les mères auraient fait. J'ai oublié ma dette et je me suis battue pour ma portée. Je vois à votre regard que vous m'excusez presque. C'est effectivement ce que font les mères, vous dites-vous, et il est normal de tout donner à ses enfants. J'ai ruiné mes frères. C'est moi, don Salvatore, c'est moi qui les ai empêchés d'avoir la vie à laquelle ils rêvaient. C'est moi qui les ai obligés à quitter l'Amérique où ils auraient fait fortune. C'est moi qui les ai attirés à nouveau vers ces terres du Sud qui n'offrent rien. Cette dette-là, je n'avais pas le droit de l'oublier. Pas même pour mes enfants.

Domenico, Giuseppe et Raffaele, j'ai aimé ces hommes-là. Je suis une sœur, don Salvatore. Mais une sœur qui ne fut, pour ses frères, que le visage laid de la malchance.

VII

TARENTELLE

Lentement, Carmela abandonna le tabac. Elle y vint d'abord de moins en moins souvent, puis plus du tout. Elia la remplaçait. Il ouvrait. Fermait. Faisait les comptes. Passait ses journées derrière le comptoir où sa mère, avant lui, avait usé sa vie. Il s'ennuyait comme s'ennuient les chiens les jours de grosses chaleurs, mais que pouvait-il faire d'autre ? Donato refusait catégoriquement de passer une seule de ses journées dans la boutique. Il n'avait accepté de travailler pour le tabac qu'à une seule condition – qui ne se négociait pas : qu'il puisse continuer ses allers-retours de contrebandier. Ce commerce qui avait été pendant si longtemps le centre de la famille brûlait maintenant les mains de ceux qui en avaient la charge. Personne n'en voulait. Elia s'était résolu à tenir sa place derrière le comptoir mais c'est parce qu'il n'avait rien d'autre. Il s'insultait tous les matins de n'être bon qu'à cela.

Après quelque temps de cette vie-là, il devint étrange. Il était absent, avait la colère facile, et scrutait l'horizon avec un regard noir. Il semblait vendre ses paquets de cigarettes, toute la journée, sans même s'en apercevoir. Un jour, Donato profita d'un instant où ils étaient seuls pour demander à son frère : "Qu'est-ce qu'il y a, *fra'* * ?" Elia le regarda avec surprise, haussa les épaules et fit la moue en rétorquant : "Rien."

Elia était tellement persuadé que rien, dans son comportement, ne laissait transparaître son trouble que la question de son frère l'avait stupéfié. Qu'avait-il dit, qu'avait-il fait qui puisse faire penser à Donato qu'il y ait quelque chose ? Rien. Absolument rien. Il n'avait rien dit. Il n'avait rien fait qu'il ne faisait d'habitude. Vendre ces satanées cigarettes. Rester toute la journée derrière son maudit comptoir. A servir ces maudits clients. Cette vie lui faisait horreur. Il se sentait à la veille d'un grand bouleversement. Comme l'assassin à la veille de son crime. Mais il avait enfoui cette colère et cette envie de mordre au plus profond de lui, la cachant aux yeux de tous, comme un conspirateur, et lorsque son frère lui avait demandé simplement, en le regardant dans les yeux : "Qu'est-ce qu'il y a, frère ?", il avait eu le sentiment d'être démasqué et mis à nu. Et cela accroissait encore sa colère.

La vérité, c'est qu'Elia était amoureux de Maria Carminella. La jeune fille était d'une famille riche, propriétaire du grand hôtel Tramontane – le plus beau de Montepuccio. Le père Carminella était

* Abréviation affectueuse pour *fratello*, frère.

médecin. Il partageait son temps entre les consultations et la gestion de l'hôtel. Elia avait le sang qui tournait dès qu'il passait devant la haute façade de l'hôtel quatre étoiles. Il maudissait cette immense piscine, ces drapeaux qui claquaient au vent, ce grand restaurant avec vue sur la mer et cette concession sur la plage ponctuée de transats rouge et or. Il maudissait ce luxe car il savait que c'était une barrière infranchissable entre lui et Maria. Il n'était qu'un cul-terreux et tout le monde le savait. Il avait beau avoir le bureau de tabac, cela ne changeait rien. On ne parlait pas d'argent, mais de patrimoine. Qu'avait-il à proposer à la fille du médecin ? De venir suer avec lui, les soirs d'été, lorsque le tabac ne désemplissait pas ? Tout cela était ridicule et perdu d'avance. Mille fois, il avait tenu ce raisonnement dans ses nuits d'insomnie. Mille fois, il était arrivé à la même conclusion : mieux valait oublier Maria plutôt que de s'exposer à une humiliation prévisible. Et pourtant. Malgré tous ces discours, malgré tous ces arguments irréfutables, il ne parvenait pas à oublier la fille du médecin.

Un jour, enfin, il se décida, prit son courage à deux mains et alla voir le vieux Gaetano Carminella. Il avait demandé s'il pouvait passer, en fin de matinée, et le médecin lui avait répondu gentiment, avec sa voix posée, que c'était toujours un plaisir et qu'il l'attendait, sur la terrasse de l'hôtel. A cette heure-ci, les touristes étaient déjà à la plage. Le vieux Gaetano et Elia étaient seuls, l'un et l'autre en chemise blanche. Le médecin avait fait apporter deux Campari mais Elia, trop absorbé par ce qu'il avait à dire, n'y toucha pas. Lorsque les politesses d'usage furent échangées et que le vieux Gaetano commença à se demander ce que voulait cet homme qui ne disait rien – et qui n'avait tout de même pas fait tout ce chemin pour venir lui demander si sa famille allait bien –, Elia enfin se lança. Il avait fait et refait mille fois ce discours, pesant chaque mot, réfléchissant à chaque tournure, mais les paroles qu'il prononça n'eurent rien à voir avec ce qu'il avait si souvent répété. Ses yeux brillaient. Il avait l'air d'un assassin qui confesse son crime et qui laisse monter en lui, au fur et à mesure qu'il parle, la douce ivresse de l'aveu.

"Don Gaetano, dit-il, je ne vous mentirai pas et je veux aller droit au but. Je n'ai rien. Je ne possède rien que ce satané bureau de tabac qui est plus ma croix que ma planche de salut. Je suis pauvre. Et ce foutu commerce ajoute encore à cette pauvreté. Bien peu de gens peuvent comprendre cela. Mais vous, vous comprenez, don Gaetano, je le sais. Car vous êtes un homme avisé. Le bureau de tabac est ma misère la plus crasse. Et je n'ai que cela. Lorsque je viens ici et que je regarde cet hôtel, lorsque je passe devant la maison que vous possédez dans le vieux village, je me dis que vous êtes déjà gentil de bien vouloir m'écouter. Et pourtant, don Gaetano, pourtant, je veux votre fille. Je l'ai dans le sang. J'ai essayé, croyez-moi, de me raisonner. Toutes les raisons que vous pourrez opposer à ma demande, je les connais. Elles sont justifiées. Je me les suis répétées. Rien n'y fait, don Gaetano. Votre fille, je l'ai dans le sang. Et si vous ne me la donnez pas, il naîtra de tout cela quelque chose de mauvais qui nous balaiera tous, les Carminella comme les Scorta. Car je suis fou, don Gaetano. Vous comprenez ? Je suis fou."

Le vieux médecin était un homme prudent. Il comprit que les derniers mots d'Elia n'étaient pas une menace mais bel et bien un constat. Elia était fou. Les femmes peuvent faire cela. Et il valait mieux ne pas le provoquer. Le vieil homme à la barbe blanche bien taillée et aux petits yeux bleus prit son temps pour répondre. Il voulait montrer ainsi qu'il réfléchissait à la demande d'Elia et prenait en considération ses arguments. Puis, de sa voix posée de notable, il parla du respect qu'il avait pour la famille Scorta – une famille courageuse qui s'était faite à la force du travail. Mais il ajouta qu'en tant que père, il ne devait penser qu'aux intérêts des siens. C'était son seul souci. Veiller au bien de sa fille et de sa famille. Il réfléchirait et donnerait sa réponse à Elia aussi vite que possible.

Sur le chemin du retour, Elia remonta vers le bureau de tabac. Il avait la tête vide. Son aveu ne lui avait procuré aucun soulagement. Il était simplement épuisé. Ce qu'il ne savait pas, c'est que tandis qu'il marchait, tête baissée et sourcils froncés, la plus grande agitation régnait à l'hôtel Tramontane. Les femmes de la maison, à peine l'entretien achevé, flairant quelque intrigue amoureuse, avaient pressé le vieux Gaetano de dévoiler les raisons de la venue d'Elia, et le vieil homme, assailli de toutes parts, avait cédé. Il avait tout raconté. Dès lors, une tornade de cris et de rires avait soufflé dans la maison. La mère et les sœurs de Maria commentaient les qualités et les défauts de cette surprenante candidature. On faisait répéter au vieux médecin le discours d'Elia mot pour mot. "Je suis fou", il a vraiment dit : "Je suis fou" ? Oui, confirmait Gaetano. Il l'a même répété. C'était la première demande en mariage de la famille Carminella. Maria était l'aînée et personne n'avait pensé que la question se poserait si vite. Pendant que la famille se faisait raconter une énième fois l'entretien, Maria s'éclipsa. Elle ne riait pas. Le rouge lui était monté aux joues comme si on l'avait giflée. Elle sortit de l'hôtel et courut derrière Elia. Elle le rattrapa juste avant qu'il n'entre dans son tabac. Il fut tellement surpris de la voir, seule, à sa poursuite, qu'il resta bouche bée et ne la salua pas. Lorsqu'elle fut à quelques mètres de lui, elle lui dit :

"Alors comme ça, tu viens chez nous et tu demandes ma main à mon père." Elle avait l'air saisie d'une fureur animale. "Ce sont bien là les manières de faire de ta famille d'arriérés. Tu ne me demandes rien, à moi. Je suis sûre que cela ne t'est même pas venu à l'esprit. Tu dis qu'il y aura un malheur si je ne suis pas à toi. Qu'est-ce que tu m'offres ? Tu pleures devant mon père de n'être pas assez riche. Tu parles d'hôtels. De maisons. C'est cela que tu m'offrirais si tu en avais les moyens ? Hein ? Une maison ? Une voiture ? Réponds, mulet, c'est cela ?"

Elia était interloqué. Il ne comprenait pas. La jeune fille criait de plus en plus fort. Alors il bredouilla :

"Oui. C'est cela.

— Alors, rassure-toi, répondit-elle avec un sourire de mépris sur les lèvres qui la rendait plus belle et plus fière que toutes les filles du Gargano, rassure-toi, même si tu possédais le palazzo Cortuno, tu n'aurais rien. Je suis plus chère que cela. Un hôtel, une maison, une voiture, je balaie tout cela du revers de la main. Tu m'entends ? Je suis plus chère. Est-ce que tu peux le comprendre, misérable cul-terreux ? Bien plus chère. Je veux tout. Je ratisse tout."

A peine ces paroles achevées, elle tourna les talons et disparut, laissant Elia abasourdi. A cet instant, il sut que Maria Carminella allait devenir, pour lui, une véritable obsession.

La messe venait de s'achever et les derniers paroissiens sortaient par grappes irrégulières. Elia attendait sur le parvis de l'église, l'œil triste et les bras ballants. Lorsqu'il le vit, le curé lui demanda si tout allait bien et comme Elia ne répondait rien, il l'invita à boire un verre. Lorsqu'ils furent installés, don Salvatore lui demanda d'une voix qui exigeait une réponse :

"Qu'y a-t-il ?

— Je n'en peux plus, don Salvatore, répondit Elia, je deviens fou. Je veux… Je ne sais pas. Faire autre chose. Commencer une autre vie. Quitter le village. Bazarder ce satané tabac.

— Qu'est-ce qui t'en empêche ? demanda le curé.

— La liberté, don Salvatore. Il faut être riche pour être libre, répondit Elia, étonné que don Salvatore ne comprenne pas.

— Arrête de pleurnicher, Elia. Si tu veux quitter Montepuccio ou te lancer dans je ne sais quoi, tu n'as qu'à vendre le tabac. Tu sais très bien que vous en tirerez un bon prix.

— Ce serait comme de tuer ma mère.

— Laisse ta mère où elle est. Si tu veux partir, vends. Si tu ne veux pas vendre, arrête de te plaindre."

Le curé avait dit ce qu'il pensait avec ce ton que les gens d'ici aimaient tant. Il était direct et dur et ne ménageait personne.

Elia sentait qu'il ne pouvait aller plus loin dans la discussion sans parler du véritable problème, de la raison qui lui faisait maudire le ciel : Maria Carminella. Mais de tout cela, il ne voulait pas parler. Surtout pas avec don Salvatore. Le curé l'interrompit dans ses pensées.

"Il n'y a qu'au dernier jour de sa vie que l'on peut dire si l'on a été heureux, dit-il. Avant cela, il faut tenter de mener sa barque du mieux qu'on peut. Suis ton chemin, Elia. Et c'est tout.

— Qui ne me mène nulle part, murmura Elia qui pensait très fort à Maria.

— Ça, c'est autre chose. C'est autre chose et si tu n'y remédies pas, tu seras coupable.

— Coupable de quoi ? Maudit, oui !

— Coupable, reprit don Salvatore, de n'avoir pas mené ta vie au plus haut point qu'elle pouvait atteindre. Oublie la chance. Oublie le sort. Et force-toi, Elia. Force-toi. Jusqu'au bout. Car pour l'heure, tu n'as rien fait."

Le vieil homme laissa Elia sur ses paroles et disparut non sans lui avoir tapoté l'épaule de sa main ridée de paysan calabrais. Elia repensait à tout cela. Le curé disait vrai. Il n'avait rien fait. Rien. Son premier acte d'homme avait été d'aller voir Gaetano pour lui demander la main de Maria et même là, il y était allé la tête basse, battu d'avance. Il avait raison. Elia n'avait rien fait. Et il était temps de se forcer. Il était seul, à la terrasse de *Da Pizzone*. Il tournait machinalement sa cuillère dans sa tasse de café et à chaque tour qu'elle faisait, il murmurait, comme hypnotisé : "Maria, Maria, Maria..."

Depuis sa conversation avec don Salvatore, Elia était résolu à tenter à nouveau sa chance. De toute façon, il n'avait pas le choix. Il ne dormait plus. Il ne parlait plus. Au rythme où allaient les choses, il ne se donnait pas un mois avant de devenir totalement fou et de sauter, du haut des falaises de Montepuccio, dans la mer qui ne rend pas les corps. Il ne savait pas comment faire pour être seul avec Maria. Il ne pouvait l'aborder ni à la plage ni au café. Elle était toujours entourée. Il fit donc ce que font les assassins ou les désespérés, il la suivit, un jour où elle rentrait des courses. Et lorsqu'elle pénétra dans une ruelle du vieux village où il n'y avait que quelques chats engourdis de sommeil, il se précipita sur elle, comme une ombre, l'attrapa par le bras et lui dit, avec des yeux qui roulaient comme s'il avait la fièvre.

"Maria...

— Que veux-tu ?" coupa-t-elle d'emblée sans avoir même sursauté, comme si elle l'avait senti dans son dos.

La sécheresse de son ton lui fit perdre ses esprits. Il regarda à terre puis releva les yeux sur elle. Elle était d'une beauté à se damner. Il se sentit rougir, ce qui le mit en rage. Elle était si proche. Il pouvait la toucher. L'étreindre. Mais son regard le condamnait à rougir et à balbutier. Il faut se lancer, se dit-il. Force-toi. Il faut tout dire. Et tant pis si elle se moque de toi et rit avec les chats.

"Maria. Je te parle à toi aujourd'hui et non plus à ton père. Tu as raison. J'ai été un imbécile. Tu m'as dit que tu prenais tout. Tu te souviens ? Je ratisse tout. C'est ce que tu as dit. Eh bien, je suis venu te dire que tout est à toi. Je te donne tout. Jusqu'au dernier de mes sous. Et ce sera encore trop peu. D'autres pourront t'offrir plus, parce que je ne suis pas le plus riche, mais personne ne sera prêt à donner, comme moi, tout ce qu'il possède. Je ne garde rien. Tu peux tout prendre."

Il avait parlé en s'enflammant et ses yeux riaient maintenant d'un rire malade qui le rendait laid. Maria était droite. Le visage immobile. Elle regardait Elia et c'était comme si son regard le mettait à nu.

"Tu es bien d'une famille de commerçants, dit-elle avec un sourire de mépris. De l'argent. C'est tout ce que tu sais proposer. Est-ce que j'ai l'air d'un paquet de cigarettes pour que tu veuilles m'acheter ainsi ? Tu veux acheter ta femme. Il n'y a que les putains et les Milanaises qu'on achète avec de l'or et des bijoux. Mais tu ne sais faire que cela. Acheter. Va, laisse-moi passer. Va te trouver une femme au marché aux bestiaux, mets-y le prix que tu voudras, moi, de toute façon, je suis trop chère pour toi."

En disant cela, elle reprit le chemin de chez elle. D'un geste brusque, irréfléchi, Elia la saisit par le bras. Il était livide. Les lèvres tremblantes. Pourquoi avait-il fait cela, il ne le savait pas lui-même. Mais il la tenait fermement. Deux idées se bousculaient en lui. L'une lui disait qu'il fallait la lâcher tout de suite. Que tout cela était ridicule. La lâcher et s'excuser. Mais une pulsion plus sourde lui faisait tenir le bras avec hargne. "Je pourrais la violer, se dit-il. Là. Dans cette rue. Maintenant. La violer. Peu importe ce qui adviendrait après. Elle est si près. Son bras. Là. Qui se débat mais qui n'est pas assez fort. Je pourrais la prendre. Ce sera au moins une façon de l'avoir puisqu'elle ne voudra jamais se marier...

— Lâche-moi."

L'ordre lui claqua aux oreilles. Il lâcha prise immédiatement. Et avant qu'il ait recouvré ses esprits, avant qu'il puisse sourire ou demander pardon, elle avait disparu. Sa voix avait été si ferme, si autoritaire qu'il avait obéi sans même réfléchir. Leurs yeux s'étaient croisés une dernière fois. Ceux d'Elia étaient vides, comme ceux d'un drogué ou d'un insomniaque. S'il avait eu tous ses esprits, il aurait pu lire dans le regard de Maria une sorte de sourire qui démentait la froideur de la voix. Une volupté était née dans son regard, comme si le contact de sa main sur son bras avait su la toucher davantage que ses paroles. Mais Elia ne vit rien de tout cela. Il resta dans la ruelle sans force. Consterné par la façon dont s'était passé cet entretien auquel il avait tant rêvé.

Lorsqu'il déboula dans l'église, don Salvatore était en train de fumer une cigarette, chose qu'il ne faisait que très rarement, mais toujours avec un plaisir profond. Cela lui rappelait sa vie en Calabre, avant le séminaire, quand lui et ses camarades tiraient, à douze ans, sur des cigarettes qu'ils avaient chapardées.

"Qu'y a-t-il ? demanda don Salvatore effrayé par la mine d'Elia.

— Je suis fini", répondit Elia et sans éprouver plus aucune des réticences de la pudeur, il se mit à raconter pour la première fois à quelqu'un son amour. Il raconta tout. Les nuits à ne penser qu'à cela. L'obsession. La terreur qu'il éprouvait face à elle. Le curé l'écouta un moment, puis, lorsqu'il lui sembla qu'il en savait suffisamment, il leva la main pour qu'Elia s'interrompe et lui dit :

"Ecoute, Elia. Je peux aider pour les morts, car je connais les prières. Je peux aider pour l'éducation des enfants car j'ai élevé mes nièces à la mort de mon frère, mais pour les femmes, non, je ne peux rien.

— Mais alors ? demanda Elia, désemparé.

— Alors, je suis calabrais, reprit don Salvatore, et en Calabre, lorsqu'on est rongé par l'amour, on danse la tarentelle. Il en sort toujours quelque chose. D'heureux ou de tragique."

Don Salvatore ne s'était pas contenté de conseiller à Elia la tarentelle, il lui avait aussi donné le nom d'une vieille femme, dans le vieux village, une Calabraise, qui s'occuperait de lui s'il se présentait à sa porte à minuit, avec un bidon d'huile d'olive.

C'est ce que fit Elia. Il frappa un soir à la porte de la petite maison. Il fallut un temps infini avant qu'on vienne ouvrir. Une petite vieille au visage de pomme fripée se tenait devant lui. Les yeux perçants. Les lèvres molles. Elia se fit la réflexion qu'il ne l'avait jamais vue au village. Elle prononça quelques mots qu'il ne comprit pas. Ce n'était ni de l'italien ni du montepuccien. Un patois calabrais, peut-être. Ne sachant que répondre, Elia tendit son bidon d'huile. Le visage de la vieille s'illumina. Elle dit d'une voix aiguë : "*Tarentella ?*", comme si ce seul mot la ravissait, et elle ouvrit la porte.

La maison était constituée d'une pièce unique – comme les maisons d'autrefois. Une paillasse. Un poêle. Un seau pour les besoins. Le sol était fait de terre sèche. On eût dit la maison de Raffaele, près du port, dans laquelle les Scorta avaient habité à leur retour de New York. Sans rien dire, la vieille posa sur la table une bouteille de liqueur, lui fit signe de se servir et sortit de la maison. Elia obéit. S'assit à la table et se servit un verre. Il pensait boire de la grappa ou un *limoncino*, mais le goût de cet alcool n'avait rien à voir avec ce qu'il connaissait. Il vida son verre et s'en servit un autre dans l'espoir d'identifier la boisson. La liqueur descendait dans sa gorge comme de la lave. Elle avait un goût de rocaille. "Si la pierre du Sud avait un goût, ce serait celui-là", se dit Elia à son troisième verre. Etait-il possible de presser les caillasses des collines jusqu'à obtenir un tel jus ? Elia s'abandonna à la chaleur épaisse de la boisson. Il ne pensait plus à rien. La porte alors se rouvrit et la petite vieille réapparut, suivie d'un homme, aveugle, encore plus âgé qu'elle. Celui-là non plus, Elia ne l'avait jamais vu. Il était sec et maigre. Aussi petit que la femme. Il se mit dans un coin et sortit un tambourin. Alors les deux vieux se mirent à chanter les tarentelles antiques de la terre du soleil. Et Elia se laissa emplir de ces chants millénaires qui disaient la folie des hommes et la morsure des femmes. La voix de la petite vieille s'était métamorphosée. Elle avait maintenant une voix de vierge, nasillarde et haut perchée, qui faisait trembler les murs. Le vieux frappait du pied le sol et ses doigts martelaient le tambourin. Il accompagnait aussi de sa voix les chants de la vieille. Elia se resservit un verre. Le goût de la liqueur avait changé, lui semblait-il. Ce n'était pas la pierre qu'on avait pressée, ce devait être plutôt des éclats de soleil. Le *solleone*, le "soleil lion", l'astre tyran des mois d'été. La liqueur sentait la sueur qui perle sur le dos des hommes lorsqu'ils travaillent aux champs. Elle sentait le cœur rapide du lézard qui bat contre la roche. Elle sentait la terre qui s'ouvre et se craquelle en suppliant pour un peu d'eau. Le *solleone* et sa puissance de souverain inflexible, c'est cela qu'Elia avait en bouche.

La petite vieille était maintenant au centre de la pièce et elle s'était mise à danser. Elle invita Elia à la rejoindre. Il but un cinquième verre et se leva. Ils entamèrent, au rythme des chants, la danse de l'araignée. La musique emplissait le crâne d'Elia. Il lui semblait qu'il y avait dans la pièce une dizaine de musiciens. Les chants montaient et descendaient dans tout son corps. Et il comprenait leur sens profond. La tête lui tournait. La sueur lui coulait le long du dos. Il lui semblait qu'il laissait couler à ses pieds sa vie entière. La vieille, qui paraissait si lente et si fatiguée tout à l'heure, bondissait maintenant autour de lui. Elle était partout. Elle l'entourait. Sans jamais le perdre des yeux. Elle lui souriait de sa vieillesse laide de fruit gâté. Il comprenait. Oui. Il comprenait tout maintenant. Son sang chauffait. Cette vieille qui riait de toute sa bouche édentée, c'était le visage du sort qui s'était si souvent ri de lui. Elle était là, avec toute sa fièvre et sa fureur. Il ferma les yeux. Il ne suivait plus les mouvements de la vieille, il dansait. La musique, répétitive et entêtante, le remplissait de bonheur. Il entendait dans ces complaintes antiques la seule vérité qu'il ait jamais entendue. La tarentelle le possédait tout entier comme elle possède les âmes perdues. Il se sentait maintenant la force d'un géant. Il avait le monde au bout des doigts. Il était Vulcain dans sa grotte surchauffée. Chacun de ses pas faisait claquer des étincelles. D'un coup, il entendit une voix monter en lui. C'était celle de la vieille. A moins que ce ne fût celle de la musique elle-même. Ou de la liqueur. Elle disait toujours la même chose. Se répétant à l'infini, au rythme saccadé de la musique :

"Va, homme, va, la tarentelle t'accompagne, fais ce que tu dois."

Elia se tourna vers la porte. Il fut surpris de la trouver ouverte. Il ne pensa pas à se retourner sur les deux vieillards. La musique était en lui. Elle résonnait avec toute la force des processions antiques.

Il sortit et marcha dans les ruelles du vieux village, comme un possédé. Il était quatre heures du matin et même les chauves-souris dormaient.

Sans qu'il l'eût vraiment décidé, il se trouva devant le bureau de tabac, sur le corso. Il avait le feu au sang. Il suait de partout. La terre tournait et le rire de la vieille lui chatouillait l'oreille. Poussé par la tarentelle qui lui mordait le cœur et lui suçait le sang, il pénétra dans le bureau de tabac, alla dans la réserve et enflamma une caisse de cigarettes.

Puis, sans se retourner sur le feu qui prenait, il ressortit et se planta sur le trottoir d'en face pour jouir du spectacle. Le feu prit vite. Une épaisse fumée s'échappa de la réserve. Les flammes ne tardèrent pas à s'attaquer au comptoir. De là où se tenait Elia, on eût d'abord dit que quelqu'un avait allumé l'électricité. Puis cette lumière se fit plus orangée et les flammes apparurent, léchant les murs et dansant de victoire. Elia hurla comme un fou et se mit à rire. Il était plein de l'esprit des Mascalzone et il rit de ce rire de destruction et de haine que la lignée se transmettait de génération en génération. Oui. Tout pouvait brûler. Que diable. Les cigarettes et l'argent. Sa vie et son âme. Tout pouvait brûler. Il riait à gorge déployée et dansait dans la lueur de l'incendie au rythme fou de la tarentelle.

Le bruit du brasier et l'odeur des flammes ne tardèrent pas à réveiller les voisins qui se précipitèrent dans la rue. On interrogea Elia, mais comme il ne répondait pas et qu'il conservait le regard vide d'un fou ou d'un simplet, les hommes conclurent à un accident. Comment imaginer qu'Elia avait mis lui-même le feu au tabac ? Ils s'organisèrent, allèrent chercher des extincteurs. Une foule épaisse se pressait dans la rue. C'est alors qu'apparut Carmela, le visage blême, les cheveux en bataille. Elle était hagarde et ne pouvait détourner son regard du spectacle des flammes. En voyant la pauvre femme chancelante sur le trottoir, tout le monde comprit que ce n'était pas qu'un commerce qui brûlait, mais une vie et l'héritage de toute une lignée. Les visages étaient tristes comme lors des grands cataclysmes. Au bout d'un temps, des voisins charitables raccompagnèrent Carmela pour la soustraire au spectacle navrant de l'incendie. Il ne servait à rien qu'elle reste là. C'était une torture inutile.

La vision de sa mère avait dégrisé Elia d'un coup. Son euphorie avait fait place à une profonde détresse. Il interpellait la foule, en lançant aux uns et aux autres :

"Vous sentez ? Vous sentez la fumée ? Ça sent la sueur de ma mère. Vous ne sentez pas ? La sueur de ses frères aussi."

Les habitants de Montepuccio finirent par maîtriser les flammes. L'incendie ne se propagea pas aux maisons voisines, mais du bureau de tabac, il ne restait rien. Elia était anéanti. Le spectacle n'avait plus la beauté hypnotisante des flammes. C'était laid et consternant. La pierre fumait, d'une fumée noire et suffocante. Il était assis sur le trottoir. La tarentelle s'était tue. Il ne riait plus. Il contemplait les volutes de fumée, hagard.

Les Montepucciens commençaient déjà à se disperser par grappes, lorsque Maria Carminella apparut. Elle était en robe de chambre blanche. Ses cheveux noirs lui tombaient sur les épaules. Il la vit arriver comme un fantôme. Elle marcha droit sur lui. Il eut encore la force de se lever. Il ne savait que dire. Il montra simplement du doigt le bureau de tabac parti en fumée. Elle lui sourit comme elle ne l'avait jamais fait auparavant et lui murmura :

"Que s'est-il passé ?"

Elia ne répondit pas.

"Tout est parti en fumée ? insista-t-elle.

— Tout, répondit-il.

— Qu'as-tu à offrir maintenant ?

— Rien.

— C'est bien, reprit Maria. Je suis à toi si tu veux de moi."

Les jours qui suivirent l'incendie furent des jours de cendres et de labeur. Il fallut déblayer les décombres, nettoyer le local, sauver ce qui pouvait être sauvé. Ce travail ingrat serait venu à bout du plus décidé des hommes. C'était à désespérer. Les murs noirs, les gravats au sol, les caisses de cigarettes parties en fumée, tout cela donnait au commerce l'aspect d'une ville rasée après la bataille. Mais Elia traversa cette épreuve avec obstination sans être, apparemment, affecté. La vérité, c'est que l'amour de Maria balayait tout. Il ne pensait qu'à cela. L'état du tabac était secondaire. Il avait auprès de lui la femme qu'il avait tant désirée, le reste importait peu.

Maria avait fait exactement ce qu'elle avait promis. Elle s'était installée chez Elia. Le lendemain de l'incendie, tandis qu'ils buvaient un café, Elia déclara :

"Je n'ai pas dormi de la nuit, Maria. Et ce n'est pas l'incendie qui m'obsédait. Nous allons nous marier. Et tu sais, comme moi, que ton père est plus riche que je ne le serai jamais. Tu sais ce qu'on dira ? Que je t'ai épousée pour l'argent de ton père.

— Je me moque de ce qu'on dira, répondit Maria calmement.

— Moi aussi. Mais c'est de moi que je me méfie le plus."

Maria leva les yeux sur son homme, intriguée. Elle ne comprenait pas où il voulait en venir.

"Je sais comment tout cela va finir, reprit-il. Je vais t'épouser. Ton père me proposera de prendre en gestion l'hôtel Tramontane. J'accepterai. Et je passerai mes après-midi d'été à jouer aux cartes avec mes amis sur le bord de la piscine. Ce n'est pas pour moi. Les Scorta ne sont pas faits pour cela.

— Tu n'es pas un Scorta.

— Si, Maria. Je suis plus Scorta que Manuzio. Je le sens. C'est ainsi. Ma mère m'a transmis le sang noir des Mascalzone. Je suis un Scorta. Qui brûle ce qu'il aime. Et tu verras que je brûlerai l'hôtel Tramontane si je devais, un jour, le posséder.

— Tu as brûlé le tabac ?

— Oui."

Maria se tut un instant. Puis elle reprit doucement :

"Pour quoi sont faits les Scorta ?

— Pour la sueur", répondit Elia.

Il y eut un temps, long. Maria réfléchissait à ce que tout cela signifiait. C'était comme si elle laissait défiler devant elle les années à venir. Elle embrassait du regard, en son esprit, la vie qu'Elia lui proposait puis, doucement, elle lui sourit et, avec un air fier et altier, elle lui répondit :

"Va pour la sueur."

Elia était grave. Il reprit comme pour s'assurer que sa femme avait compris.

"Nous ne demanderons rien. Nous n'accepterons rien. Nous serons seuls. Toi et moi. Je n'ai rien à offrir. Je suis un mécréant.

— La première chose à faire, répondit-elle, est de débarrasser le bureau de tabac pour que nous puissions au moins y entreposer les caisses de cigarettes.

— Non, dit calmement Elia en souriant. La première chose à faire est de nous marier."

Le mariage eut lieu quelques semaines plus tard. Don Salvatore bénit leur union. Puis Elia convia tous les invités au *trabucco* pour un grand festin. Michele, le fils de Raffaele, avait dressé une longue table au milieu des filets et des poulies. Toute la famille était là. La fête était simple et joyeuse. Les victuailles en abondance. A la fin du repas, Donato se leva, calme et souriant, demanda le silence et se mit à parler :

"Mon frère, dit-il, tu t'es marié aujourd'hui. Je te regarde, là, dans ton costume. Tu te penches sur le cou de ta femme pour lui murmurer quelque chose. Je te regarde lever ton verre à la santé des invités et je te trouve beau. Tu as la beauté simple de la joie. Je voudrais demander à la vie de vous laisser tels que vous êtes là, intacts, jeunes, pleins de désirs et de forces. Que vous traversiez les ans sans bouger. Que la vie n'ait pour vous aucune des grimaces qu'elle connaît. Je vous regarde aujourd'hui. Je vous contemple avec soif. Et lorsque les temps se feront durs, lorsque je pleurerai sur mon sort, lorsque j'insulterai la vie qui est une chienne, je me souviendrai de ces instants, de vos visages illuminés par la joie et je me dirai : N'insulte pas la vie, ne maudis pas le sort, souviens-toi d'Elia et de Maria qui furent heureux, un jour au moins, dans leur vie, et ce jour tu étais à leurs côtés."

Elia enlaça son frère avec émotion. A cet instant, ses deux cousines, Lucrezia et Nicoletta, chantèrent une chanson des Pouilles dont toutes les femmes reprenaient le refrain en chœur : "*Aïe aïe aïe, Domani non mi importa per niente, Questa notte devi morire con me**." Cela fit rire toute l'assemblée. Les Scorta laissèrent les heures heureuses les traverser et la soirée se prolongea ainsi, dans la joie du vin frais de l'été.

* "Aïe, aïe, aïe, je n'ai cure de demain, cette nuit tu dois mourir avec moi."

Les mois qui suivirent, il se produisit à Montepuccio un étrange phénomène. Le village, depuis la fin des années 1950, avait deux bureaux de tabac : celui des Scorta et un autre. Les deux familles s'appréciaient. Il y avait du travail pour tout le monde et l'esprit de concurrence ne les fit jamais s'affronter. Il n'en était pas de même avec les innombrables points de vente que les campings, les hôtels, les résidences et les boîtes de nuit avaient ouverts. On vendait officiellement quelques paquets pour dépanner le client, mais dans certains cas, il s'agissait de véritables petits points de vente sauvages.

Elia et Maria n'avaient pas assez d'argent pour faire les travaux nécessaires à la réouverture du local. Dans un premier temps, ils vendirent leur tabac comme des vendeurs à la sauvette.

Le plus étrange fut que le village refusa d'aller acheter ses cigarettes ailleurs. Le dimanche, les touristes observaient avec étonnement cette longue file d'attente devant le plus sale et le plus pouilleux des locaux du corso. Il n'y avait plus ni enseigne, ni comptoir, ni caisse enregistreuse. Quatre murs. Deux chaises et les caisses de tabac, à même le sol, dans lesquelles Elia plongeait le bras. Les soirs d'été, il les vendait sur le trottoir pendant que Maria, à l'intérieur, lessivait les murs. Et pourtant les Montepucciens faisaient la queue. Et même, lorsque Elia leur disait qu'il n'avait pas leur marque de cigarettes (ne pouvant acheter beaucoup de tabac, il se concentrait sur quelques marques), ils allaient jusqu'à rire et dire : "Je prendrai ce que tu as !" en sortant leur portefeuille.

La main de don Salvatore était derrière cet élan de solidarité. C'est lui qui, jour après jour, à la messe, avait exhorté ses paroissiens à un peu d'entraide. Le résultat alla bien au-delà de ses espérances.

Il constata avec une joie profonde que ses appels à la fraternité avaient été écoutés et un jour qu'il passa devant le bureau et qu'il vit une enseigne trôner à nouveau au-dessus de la porte d'entrée, il lâcha :

"Ces têtes de cochon ne sont peut-être pas tous à jeter aux enfers."

Ce jour-là, effectivement, l'enseigne lumineuse était arrivée de Foggia. On pouvait y lire : *Tabaccheria Scorta Mascalzone Rivendita n° 1*. Pour qui n'y aurait pas fait attention, cette enseigne aurait pu paraître identique en tous points à celle d'autrefois. Celle que Carmela, Domenico, Giuseppe et Raffaele avaient accrochée avec fierté dans leur jeunesse. Mais Elia savait bien qu'elle était différente. Et qu'un pacte nouveau avait été passé entre lui et le tabac. Et les Montepucciens aussi le savaient, qui contemplaient maintenant avec fierté la vitrine, conscients qu'ils étaient un peu pour quelque chose dans cette renaissance inattendue.

Un bouleversement profond s'opéra dans l'esprit d'Elia. Pour la première fois, il travaillait avec bonheur. Jamais les conditions n'avaient été aussi dures. Tout était à faire. Mais quelque chose avait changé. Il n'héritait pas, il construisait. Il ne gérait pas un bien qui lui venait de sa mère, il se battait de toutes ses forces pour apporter un peu d'aisance et de bonheur à sa femme. Il retrouvait dans le bureau de tabac le bonheur qu'avait eu sa mère à y travailler. Il comprenait maintenant l'obsession et la folie avec lesquelles elle parlait de son commerce. Tout était à faire. Et pour y parvenir, il fallait qu'il se force. Oui. Sa vie ne lui avait jamais semblé aussi dense et précieuse.

Je pense souvent à ma vie, don Salvatore. Quel sens a tout cela ? J'ai mis des années à construire le tabac. Jour et nuit. Et lorsque enfin il était là, lorsque enfin je pouvais le transmettre à mes fils avec tranquillité, il a été balayé. Vous vous souvenez de l'incendie ? Tout a brûlé. J'ai pleuré de rage. Tous mes efforts, toutes mes nuits de labeur accumulées. Un simple accident et tout est parti en fumée. Je ne pensais pas pouvoir y survivre. Je sais que c'est ce que pensait le village également. La vieille Carmela ne survivra pas à la mort de son tabac. J'ai tenu pourtant. Oui. J'ai tenu bon. Elia a entrepris de tout reconstruire. Patiemment. C'était bien. Ce n'était plus tout à fait mon tabac mais c'était bien. Mes fils. Je me suis accrochée à mes fils. Mais là encore, tout a été renversé. Donato a disparu. J'insulte tous les jours la mer de me l'avoir enlevé. Donato. Quel sens a tout cela ? Ces vies construites lentement, patiemment, avec volonté et abnégation, ces vies balayées d'un coup par le vent du malheur, ces promesses de joie auxquelles on rêve et qui se déchirent. Vous savez ce qui est le plus étonnant dans tout cela, don Salvatore ? Je vais vous le dire. C'est que ni l'incendie, ni la disparition de Donato ne sont venus à bout de moi. N'importe quelle mère serait devenue folle. Ou se serait laissée mourir. Je ne sais pas comment je suis faite. Je suis dure. J'ai tenu. Sans le vouloir. Sans y penser. C'est plus fort que moi. Il y a quelque chose en moi qui s'accroche et qui tient. Oui. Je suis dure.

C'est après l'enterrement de Giuseppe que j'ai commencé à me taire. Je gardais le silence pendant des heures entières, puis pendant des jours. Vous le savez, vous étiez déjà parmi nous alors. Au début, le village commentait avec curiosité ce mutisme nouveau. On spéculait. Puis on s'y habitua. Et très vite, il vous sembla à tous que Carmela Scorta n'avait jamais parlé. Je me sentais loin du monde. Je n'avais plus la force. Tout me semblait inutile. Le village pensa que Carmela n'était rien sans les Scorta, qu'elle préférait se détacher de la vie plutôt que de la poursuivre sans ses frères. Ils se sont trompés, don Salvatore. Comme ils se trompent toujours. C'est autre chose qui m'a fait taire toutes ces années. Autre chose que je n'ai jamais raconté.

Quelques jours après l'enterrement de Giuseppe, Raffaele est venu me trouver. Il faisait doux. J'ai tout de suite vu qu'il avait un regard limpide, comme s'il s'était lavé les yeux à l'eau claire. Une calme résolution émanait de son sourire. Je l'ai écouté. Il a parlé longtemps. Sans jamais baisser les yeux. Il a parlé longtemps et je me souviens de chacun de ses mots. Il a dit qu'il était un Scorta, qu'il avait accepté ce nom avec fierté. Mais il a dit également qu'il s'insultait la nuit. Je ne comprenais pas ce qu'il voulait me dire, mais je pressentais que tout allait chavirer. Je ne bougeais plus. J'écoutais. Il a pris son souffle et il a parlé d'une seule traite. Il a dit que le jour où il avait enterré la Muette, il avait pleuré deux fois. La première, ce fut au cimetière, devant nous. Il pleurait de l'honneur que nous lui faisions, m'a-t-il dit, en lui demandant d'être notre frère. La seconde fois, ce fut le soir, dans son lit. Il pleurait en mordant son oreiller pour ne pas faire de bruit. Il pleurait parce qu'en nous disant oui, en devenant notre frère, il devenait aussi le mien. Et ce n'est pas ce à quoi il avait rêvé. Il a marqué un temps après avoir dit cela. Et je me souviens d'avoir prié pour qu'il n'en dise pas davantage. Je ne voulais rien entendre. Je voulais me lever et partir. Mais il a continué : "Je t'ai toujours aimée." C'est ce qu'il a dit. Là. En me regardant calmement dans les yeux. Mais ce jour-là, il était devenu mon frère et il s'était juré de se comporter comme tel. Il m'a dit que grâce à cela il avait connu le plaisir de passer toute sa vie près de moi. Je ne savais que répondre. Tout tournait en moi. Il a continué à parler. Disant que certains jours il se maudissait comme un chien de ne pas avoir dit non au cimetière. Dire non à ces histoires de frère et demander plutôt ma main sur le tombeau de ma mère. Mais il n'a pas osé. Il a dit oui. Il a pris la pelle que nous lui tendions. Il est devenu notre frère. "Il m'était tellement doux de vous dire oui", a-t-il dit. Et il a ajouté : "Je suis un Scorta, Carmela, et je serais bien incapable de dire si je le regrette ou pas."

Il a parlé sans me quitter des yeux. Et lorsqu'il a terminé, j'ai senti qu'il attendait que je parle à mon tour. Je suis restée silencieuse. Je sentais son attente tout autour de moi. Je ne tremblais pas. J'étais vide. Je n'ai rien pu dire. Pas un mot. Il n'y avait rien en moi. Je l'ai regardé. Du temps a passé. Nous étions face à face. Il a compris que je ne répondrais pas. Il a attendu encore un peu. Il espérait. Puis il s'est levé doucement et nous nous sommes quittés. Je n'ai pas dit un mot et je l'ai laissé partir.

C'est de ce jour-là que je me suis tue. Le lendemain, nous nous sommes revus et nous avons fait comme si de rien n'était. La vie a repris. Mais je ne parlais plus. Quelque chose était cassé. Que pouvais-je lui dire, don Salvatore ? La vie était passée. Nous étions vieux. Que pouvais-je lui répondre ? Tout est à refaire, don Salvatore. J'ai été lâche. Tout est à refaire mais les années ont passé.

VIII

LA PLONGÉE DU SOLEIL

Lorsqu'il sentit que la mort était proche, Raffaele convoqua son neveu. Donato arriva et pendant longtemps, ils restèrent silencieux. Le vieil homme ne pouvait se résoudre à entamer la conversation. Il observait Donato qui buvait tranquillement le verre de Campari qu'il lui avait offert. Il faillit renoncer, mais, finalement, malgré la crainte qu'il avait de lire dans les yeux de son neveu un regard de dégoût, ou de colère, il se lança :

"Donato, tu sais pourquoi je suis ton oncle ?

— Oui, *zio*, répondit Donato.

— On t'a raconté comment nous avons décidé d'être frères et sœur, le jour où j'ai aidé tes oncles Mimi et Peppe à enterrer la Muette.

— Oui, *zio*, répéta Donato.

— Et comment, à mon tour, j'ai abandonné mon premier nom de famille, qui ne valait rien, pour porter celui des Scorta.

— Oui, *zio*. On me l'a raconté."

Raffaele fit une petite pause. L'instant était venu. Il n'avait plus peur. Il avait hâte de soulager son cœur.

“Il y a un crime que je veux confesser.
— Quel crime ? demanda le jeune homme.
— Il y a bien des années, j’ai tué un homme d’Eglise. Don Carlo Bozzoni. Le curé de Montepuccio. C’était un homme laid mais je me suis perdu en l’assassinant.
— Pourquoi as-tu fait cela ? demanda Donato, ahuri devant la confession de cet homme qu’il avait toujours considéré comme le plus doux de ses oncles.
— Je ne sais pas, balbutia Raffaele. C’est monté d’un coup. J’avais une colère immense qui attendait en moi. Elle m’a submergé.
— Pourquoi étais-tu en colère ?
— Je suis un lâche, Donato. Ne me regarde pas comme ça. Crois-moi, je suis un lâche. Je n’ai pas osé demander ce que je désirais. Voilà pourquoi la colère s’était accumulée. Et voilà pourquoi elle a explosé à la face de cet imbécile de curé qui ne valait rien.
— De quoi parles-tu ?
— De ta mère.
— Ma mère ?
— Je n’ai jamais osé lui demander d’être ma femme.”
Donato resta bouche bée.
“Pourquoi me dis-tu cela, *zio* ? demanda-t-il.
— Parce que je vais mourir et que tout sera englouti avec moi. Je veux qu’au moins une personne sache ce que j’ai eu au fond du ventre toute ma vie.”

Raffaele se tut. Donato ne savait que dire. Il se demanda, un temps, s'il devait réconforter son oncle ou plutôt marquer une forme de désapprobation. Il se sentait vide et étonné. Il n'y avait rien à ajouter. L'oncle n'attendait aucune réponse. Il avait parlé pour que les choses soient dites, et non pour avoir l'avis de quelqu'un. Donato eut le sentiment que cette conversation allait le transformer plus qu'il ne pouvait le prévoir. Il se leva, l'air un peu embarrassé. L'oncle le regarda longuement et Donato sentit que le vieil homme voulait presque s'excuser de l'avoir pris pour confident. Comme s'il eût préféré emporter toutes ces vieilles histoires avec lui. Ils s'embrassèrent chaleureusement et se quittèrent.

Raffaele mourut quelques jours plus tard, dans ses filets, sur son *trabucco*, avec le bruit de la mer sous lui. Le cœur soulagé. Le jour de son enterrement, son cercueil fut porté par son fils, Michele, et par ses trois neveux, Vittorio, Elia et Donato. Carmela était là. Le visage fermé. Elle ne pleurait pas. Elle se tenait droite. Lorsque le cercueil lui fut présenté, elle porta la main à sa bouche et déposa un baiser sur le bois – ce qui fit sourire Raffaele dans sa mort.

Tout le village eut le sentiment, en voyant passer le cercueil, que c'était la fin d'une époque. Ce n'était pas Raffaele qu'on enterrait, c'était tous les Scorta Mascalzone. On enterrait le vieux monde.

Celui qui avait connu la malaria et les deux guerres. Celui qui avait connu l'émigration et la misère. On enterrait les vieux souvenirs. Les hommes ne sont rien. Et ne laissent aucune trace. Raffaele quittait Montepuccio et tous les hommes sur son passage enlevèrent leur chapeau et baissèrent la tête, conscients qu'à leur tour, ils ne tarderaient pas à disparaître et que cela ne ferait pas pleurer les oliviers.

La révélation de son oncle avait fait vaciller l'univers de Donato. Désormais, il regardait la vie autour de lui avec une sorte de fatigue dans les yeux. Tout lui semblait faux. L'histoire de sa famille lui apparaissait désormais comme une pauvre succession d'existences frustrées. Ces hommes et femmes n'avaient pas mené la vie qu'ils voulaient. Son oncle n'avait jamais osé se déclarer. Combien d'autres frustrations secrètes se cachaient dans l'histoire de la famille ? Une immense tristesse s'emparait de lui. Le commerce des hommes lui devint insupportable. Il ne restait plus que la contrebande. Il s'y jeta corps et âme. Il vivait littéralement sur sa barque. Il ne pouvait être que cela : un contrebandier. Il n'attachait aucune importance aux cigarettes, cela aurait tout aussi bien pu être des bijoux, de l'alcool ou des sacs remplis de papiers sans valeur, l'essentiel était ces voyages nocturnes, ces instants d'immenses silences et d'errance maritime.

Le soir venu, il larguait les amarres et la nuit commençait. Il allait jusqu'à l'île de Montefusco, une toute petite île au large de la côte italienne qui était la plaque tournante de tous les trafics. C'est là que les Albanais déchargeaient leurs cargaisons volées et que les échanges avaient lieu. Au retour, sa barque était lourde de caisses de cigarettes. Il jouait à cache-cache, dans la nuit, avec les bateaux de douaniers et cela le faisait sourire, car il savait qu'il était le meilleur et que personne, jamais, ne l'attraperait.

Il lui arrivait parfois d'aller jusqu'en Albanie. Il prenait alors un bateau plus grand. Mais au fond de lui-même, il n'aimait pas ces grands voyages. Non, ce qu'il aimait, c'était prendre sa barque de pêcheur et longer les côtes, de crique en crique, comme un chat longe les murs, dans l'obscurité douce de l'illégalité.

Il glissait sur les flots. En silence. Allongé au fond de sa barque, il ne se dirigeait qu'à la vue des étoiles. Dans ces moments-là, il n'était rien. Il s'oubliait. Plus personne ne le connaissait. Plus personne ne parlait. Il était un point perdu dans l'eau. Une minuscule barque de bois qui oscillait sur les flots. Il n'était rien et laissait le monde le pénétrer. Il avait appris à comprendre la langue de la mer, les ordres du vent, le murmure des vagues.

Il n'y avait que la contrebande. Il lui fallait le ciel entier, plein d'étoiles mouillées, pour épancher sa mélancolie. Il ne demandait rien. Qu'on le laisse simplement glisser au fil de l'eau en abandonnant derrière lui les tourments du monde.

Quelque chose n'était pas comme d'habitude. Donato avait accosté dans la petite crique de l'île de Montefusco. Il était une heure du matin. Sous le figuier, à l'endroit où d'ordinaire Raminuccio l'attendait avec les caisses de cigarettes, il n'y avait personne.

La voix de Raminuccio retentit dans la nuit, mi-criant, mi-chuchotant : "Donato, par ici !"

Quelque chose n'était pas comme d'habitude. Il monta doucement la pente, au milieu des gravats et des figues de Barbarie, et atteignit l'entrée d'une petite grotte. Raminuccio se tenait là, une lampe torche à la main. Derrière lui, deux silhouettes, assises sur la roche, immobiles et silencieuses.

Donato interrogea du regard son camarade, qui se pressa de lui expliquer :

"Ne t'inquiète pas. Tout va bien. Je n'ai pas de cigarettes aujourd'hui, mais j'ai mieux. Tu vas voir. Pour toi, rien ne change. Tu les laisses à l'endroit habituel. Matteo viendra les chercher, c'est convenu. D'accord ?"

Donato fit oui de la tête. Raminuccio lui mit alors dans la main une pleine liasse de billets et lui murmura en souriant : “Tu vas voir, ça paie mieux que les cigarettes.” Donato ne compta pas, mais il sut, au poids, qu’il y avait là le triple ou le quadruple de la somme habituelle.

Les passagers prirent place en silence. Donato ne les salua pas. Il commença à ramer pour s’éloigner de la crique. Il y avait une femme, d’environ vingt-cinq ans, accompagnée de son fils qui devait avoir entre huit et dix ans. Dans un premier temps, Donato fut tout à sa manœuvre et il n’eut pas le temps de les observer, mais bientôt, la côte de l’île disparut. Ils étaient en haute mer. Donato avait désormais mis en route le moteur et il n’avait plus rien d’autre à faire que de poser ses yeux sur ses passagers. L’enfant avait renversé sa tête sur les genoux de sa mère et contemplait le ciel. La femme restait bien droite. Elle avait une belle tenue. On voyait à ses vêtements et à ses mains, fortes et calleuses, qu’elle était pauvre, mais tout son visage exprimait une austère dignité. Donato osait à peine parler. Cette présence féminine sur sa barque lui imposait une sorte de timidité nouvelle.

“Cigarette ?” demanda-t-il en tendant un paquet. La femme sourit et fit “non” de la main. Donato s’en voulut immédiatement. Une cigarette. Evidemment qu’elle n’en veut pas. Il alluma la sienne, réfléchit puis dit à nouveau, en se montrant lui-même du doigt :

“Donato. Et toi ?”

La femme répondit avec une voix douce qui emplit la nuit.

"Alba."

Il sourit, répéta plusieurs fois "Alba", pour montrer qu'il avait compris et trouvait le prénom joli, puis il ne sut plus que dire et se tut.

Durant toute la traversée, il contempla le beau visage de l'enfant et les gestes attentifs de la mère qui le couvrait de ses bras pour qu'il n'attrape pas froid. Ce qu'il aimait par-dessus tout, c'était le silence de cette femme. Sans qu'il sache pourquoi, il était empli d'une sorte de fierté. Il guidait ses passagers vers les côtes du Gargano, avec sûreté. Aucun bateau de douaniers ne les trouverait jamais. Il était le plus imprenable des contrebandiers. L'envie croissait en lui de rester ainsi, sur cette barque, avec cette femme et cet enfant. Ne plus jamais accoster. Cette nuit-là, pour la première fois, il ressentit cette tentation. Ne jamais revenir. Rester là. Sur les flots. A condition que la nuit dure toujours. Une nuit immense de toute une vie, sous les étoiles, la peau salée par les embruns. Une vie nocturne, menant cette femme et son fils d'un point à un autre de la côte clandestine.

Le ciel se fit moins sombre. Et bientôt, la côte italienne fut en vue. Il était quatre heures du matin. Donato aborda à contrecœur. Il aida la femme à mettre pied à terre, porta l'enfant, puis, se tournant vers elle une dernière fois, le visage heureux, il lui dit "*ciao*" et cela, pour lui, voulait dire bien plus. Il voulait lui souhaiter bonne chance. Lui dire qu'il avait adoré cette traversée. Il voulait lui dire qu'elle était belle et qu'il aimait son silence. Que son fils était un bon garçon. Il voulait lui dire qu'il souhaitait la revoir, qu'il pourrait lui faire faire autant de traversées qu'elle voudrait. Mais il ne sut dire que "*ciao*", les yeux heureux et pleins d'espoir. Il était sûr qu'elle comprendrait tout ce qu'il y avait derrière ce simple mot, mais elle lui rendit simplement son salut et entra dans la voiture qui l'attendait. Matteo avait coupé le moteur et était venu saluer Donato, laissant les deux passagers assis à l'arrière du véhicule.

"Tout s'est bien passé ? demanda Matteo.

— Oui", murmura Donato.

Il regarda Matteo et il lui sembla qu'il pouvait poser les questions qu'il n'avait pas eu la présence d'esprit de poser à Raminuccio.

"Qui sont ces gens ? demanda-t-il.

— Des clandestins albanais.

— Où vont-ils ?

— D'abord ici, puis on les emmène à Rome en camion. De là, ils vont partout. Allemagne. France. Angleterre.

— Elle aussi ? demanda Donato qui ne parvenait pas à faire le lien entre cette femme et les réseaux dont parlait Matteo.

— C'est plus juteux que les cigarettes, non ? demanda l'homme sans répondre à sa question. "Ils sont prêts à se saigner pour payer la traversée. On peut demander presque autant qu'on veut."

Il rit, tapa sur l'épaule de Donato, le salua, monta dans la voiture et disparut dans un crissement de pneus.

Donato resta seul sur la plage, abasourdi. Le soleil se levait avec la lenteur magistrale d'un souverain. L'eau scintillait d'éclats rosés. Il sortit de sa poche la liasse de billets et compta. Deux millions de lires. Il y avait l'équivalent de deux millions de lires en billets froissés. Si l'on ajoutait la part de Raminuccio, celle de Matteo et celle du chef de la filière, la jeune femme avait dû payer au moins huit millions de lires. Une honte énorme submergea Donato. Et il se mit à rire. Du rire carnassier de Rocco Mascalzone. Il riait comme un dément parce qu'il venait de comprendre qu'il avait pris à cette femme ses derniers sous. Il riait, en pensant :

"Je suis monstrueux. Deux millions. Je lui ai pris deux millions à elle et à son fils. Et je lui faisais des sourires, je lui demandais son nom, je pensais qu'elle appréciait cette traversée. Je suis le plus misérable des hommes. Voler une femme, la saigner et oser, ensuite, lui faire la conversation. Je suis bien le petit-fils de Rocco. Sans foi. Sans honte. Je ne vaux pas mieux que les autres. Je suis même pire. Bien pire. Et me voilà riche. J'ai la sueur d'une vie dans la poche et je vais aller fêter cela au café et payer ma tournée. Son fils me regardait avec ses grands yeux et je me voyais déjà lui apprendre les étoiles et les bruits de la mer. Honte sur moi et sur la lignée de dégénérés qui porte mon nom de voleur."

De ce jour-là, Donato ne fut plus jamais le même. Un voile était passé sur ses yeux qu'il conserva jusqu'à sa mort, comme d'autres une cicatrice sur le visage.

Donato disparaissait de plus en plus souvent. Ses voyages étaient de plus en plus longs. Il s'enfonçait dans la solitude sans un mot, sans une hésitation. Il continuait à voir un peu son cousin, Michele, le fils de Raffaele, parce qu'il dormait souvent dans la petite pièce troglodytique du *trabucco*. Michele eut un fils : Emilio Scorta. Ce fut à lui que Donato dit ses derniers mots. Lorsque le garçon eut huit ans, Donato le prit dans sa barque, comme son oncle Giuseppe l'avait fait autrefois avec lui, et lui fit faire un tour, au rythme lent des vagues. Le soleil se coucha dans les flots, illuminant la crête des vagues d'une belle lueur rosée. L'enfant resta silencieux durant toute la traversée. Il aimait beaucoup l'oncle Donato mais n'osait guère lui poser de questions.

Finalement, Donato se tourna vers le petit et lui dit avec une voix douce et grave :

"Les femmes ont des yeux plus grands que les étoiles."

L'enfant acquiesça sans comprendre. Mais il n'oublia jamais cette phrase. Donato avait voulu s'acquitter du serment des Scorta. Transmettre à son tour un savoir à l'un des siens. Il avait longtemps réfléchi. Il s'était interrogé sur ce qu'il savait, ce qu'il avait appris dans la vie. La seule chose qui s'imposait, c'était cette nuit passée avec Alba et son fils. Les grands yeux noirs d'Alba dans lesquels il s'était plongé avec délices. Oui, les étoiles lui avaient semblé minuscules en comparaison de ces deux pupilles de femme qui hypnotisaient la lune elle-même.

Ce furent les derniers mots qu'il prononça. Les Scorta ne le revirent plus. Il n'accostait plus. Il n'était qu'un point mouvant entre deux côtes. qu'une barque filant dans la nuit. Il ne transportait plus de cigarettes. Il était devenu passeur et ne faisait plus que cela. De la côte albanaise à la côte des Pouilles, sans cesse, il prenait et déposait des étrangers venus tenter leur chance : des jeunes gens, maigres d'avoir trop peu mangé, qui fixaient la côte italienne avec un regard d'affamé. Des jeunes gens dont les mains tremblaient, impatientes de travailler. Ils allaient aborder une terre nouvelle. Ils vendraient leur force de travail à qui en voudrait, le dos cassé pour ramasser les tomates dans les grandes propriétés agricoles de Foggia ou la tête penchée sous la lampe dans les ateliers clandestins de Naples. Ils allaient travailler comme des bêtes, acceptant qu'on les fasse suer jusqu'à la dernière goutte de leur corps, acceptant le joug de l'exploitation et le règne violent de l'argent. Ils savaient tout cela. Que leurs corps jeunes seraient marqués à jamais de ces années de travail trop dur pour un homme, mais ils avaient hâte. Et Donato les voyait s'illuminer, tous, lorsque la côte italienne approchait, de la même lueur d'impatience vorace.

Le monde se déversait dans sa barque. C'était comme des saisons. Il voyait venir à lui les habitants des pays sinistrés. Il lui semblait prendre le pouls de la planète. Il voyait les Albanais, les Iraniens, les Chinois, les Nigériens. Tous passaient par sa barque étroite. Il les accompagnait d'une côte à l'autre dans un va-et-vient permanent. Il ne fut jamais intercepté par la douane italienne. Il glissait sur les flots comme un vaisseau fantôme, ordonnant le silence aux hommes qu'il transportait lorsqu'il entendait, au loin, un moteur.

Beaucoup de femmes montèrent dans sa barque. Les Albanaises qui allaient trouver une place dans les hôtels de la côte comme femmes de chambre, ou dans les familles italiennes comme aides-soignantes pour les vieillards. Les Nigériennes qui vendaient leur corps sur les bords de la route entre Foggia et Bari, sous des ombrelles colorées pour se protéger du soleil. Les Iraniennes, épuisées de fatigue, pour qui le voyage ne faisait que commencer car elles allaient plus loin, bien plus loin, en France ou en Angleterre. Donato les contemplait. Silencieux. Lorsqu'une d'entre elles voyageait seule, il se débrouillait toujours pour lui rendre son argent avant qu'elle ne quitte la barque. Et chaque fois, lorsque la femme levait sur lui de grands yeux étonnés, le remerciant à voix basse, ou lui baisant les mains même, il murmurait : "Pour Alba" et il se signait. Alba était son obsession. Il avait pensé, au début demander aux Albanais qu'il transportait s'ils la connaissaient, mais il savait que tout cela était vain. Il restait muet. Il fourrait dans la main des femmes seules les liasses de billets qu'elles lui avaient elles-mêmes tendues quelques heures plus tôt. Pour Alba. Pour Alba, disait-il. Et il pensait : "Pour Alba à qui j'ai tout pris. Pour Alba que j'ai laissée dans un pays qui en a probablement fait une esclave." Les femmes, souvent, lui caressaient alors la joue du bout du doigt. Pour le bénir et le recommander au ciel. Elles le faisaient avec délicatesse comme on le fait à un enfant, car elles sentaient bien que cet homme silencieux, ce passeur taciturne n'était rien d'autre qu'un enfant qui parle aux étoiles.

Donato finit par disparaître tout à fait. Au début, Elia ne s'inquiéta pas. Des amis pêcheurs l'avaient aperçu. Ils l'avaient entendu chanter comme il aimait à le faire, de nuit, lorsqu'il rentrait d'un de ces voyages secrets. Tout cela prouvait que Donato était encore là, quelque part sur la mer. Il mettait simplement plus de temps à revenir. Mais les semaines passèrent, puis les mois, et Elia dut se rendre à l'évidence : son frère avait disparu.

Cette disparition lui laissa au fond du cœur une entaille à vif. Certaines nuits d'insomnie, il priait pour que son frère ne soit pas mort englouti dans une tempête. Cette idée lui était insupportable. Il imaginait les derniers instants dans le déchaînement des vagues. Les cris du désespéré. Il lui arrivait de pleurer en imaginant cette mort misérable de solitude, la mort des naufragés qui n'ont qu'à se signer face au ventre sans fond de la mer.

Donato ne mourut pas dans une tempête. Le dernier jour de sa vie, il glissait doucement au fil de l'eau. Les vagues ballottaient sa barque sans violence. Le soleil frappait et se réverbérait sur l'immensité de la mer, lui brûlant la peau du visage. "C'est étonnant d'être brûlé au milieu de l'eau, pensa-t-il. Je sens le sel. Partout autour de moi. Sur mes paupières. Sur mes lèvres. Au fond de ma gorge. Je serai bientôt un petit corps blanc, recroquevillé au fond de ma barque. Le sel aura rongé mes eaux, mes chairs, il me conservera comme il conserve les poissons sur les étals des marchands. La morsure du sel, c'est de cela que je vais mourir. Mais c'est une mort lente et il me reste du temps. Le temps de laisser couler encore un peu d'eau à mes côtés."

Il contempla les côtes, au loin, pensant qu'il lui serait encore facile d'y revenir. Cela demanderait un effort, bien sûr, parce que son corps était faible de toutes ces journées sans nourriture, mais il le pouvait encore. Bientôt plus. Bientôt, avec toute la volonté du monde, la côte serait une ligne inatteignable et ce serait alors un horrible cauchemar que de vouloir se rapprocher. Comme les hommes qui se noient dans quelques centimètres d'eau : la profondeur n'est rien, il faut avoir la force de tenir la tête hors de l'eau. Bientôt il ne pourrait plus. Pour l'instant, il observait la ligne chaotique de son pays qui dansait à l'horizon et c'était comme de lui dire adieu.

Il cria de toutes ses forces. Non pour appeler à l'aide, mais pour voir, simplement, si on l'entendait encore. Il cria. Rien ne bougea. Personne ne lui répondit. Le paysage était le même. Aucune lumière ne s'allumait, aucun bateau ne s'approchait. La voix de son frère ne lui répondit pas. Même lointaine. Même étouffée. “Je suis loin, pensa-t-il. Le monde ne m'entend plus. Est-ce que cela ferait plaisir à mon frère de savoir que c'est lui que j'ai appelé lorsque j'ai dit adieu au monde ?”

Il sentit qu'il n'avait maintenant plus la force de revenir en arrière. Il venait de passer le seuil. Même si un remords subit l'avait saisi, il n'aurait pu faire demi-tour. Il se demanda combien de temps allait passer avant qu'il perde connaissance. Deux heures ? Peut-être davantage. Et après, pour passer de l'inconscience à la mort ? A la nuit tombée, tout s'accélérerait. Mais le soleil était encore là et le protégeait. Il tourna la barque pour l'avoir face à lui. La côte était dans son dos. Il ne la voyait plus. Il devait être cinq ou six heures de l'après-midi. Le soleil déclinait. Il descendait vers la mer pour s'y coucher. Le soleil dessinait sur les flots une longue trace rosé et orangé qui faisait scintiller le dos des poissons. C'était comme une route qui s'ouvrait dans l'eau. Il mit sa barque dans l'axe du soleil, au centre du chemin de lumière. Il ne restait plus qu'à avancer. Jusqu'au bout. Le soleil lui brûlait l'esprit mais jusqu'au bout il continua à parler.

“J'avance. Je suis escorté par un long banc de poulpes. Les poissons entourent ma barque et la portent sur leurs dos d'écailles. Je m'éloigne. Le soleil me montre le chemin. Je n'ai qu'à suivre sa chaleur et soutenir son regard. Il se fait moins aveuglant pour moi. Il m'a reconnu. Je suis un de ses fils. Il m'attend. Nous plongerons ensemble dans les eaux. Sa grande tête hirsute de feu fera frémir la mer. De gros bouillons de vapeur signaleront à ceux que je quitte que Donato est mort. Je suis le soleil… Les poulpes m'accompagnent… Je suis le soleil… Jusqu'au bout de la mer…"

Je sais comment je finirai, don Salvatore. J'ai entrevu ce que seront mes dernières années. Je vais perdre la tête. Ne dites rien. Je vous l'ai expliqué, cela a déjà commencé. Je vais perdre mes esprits. Je confondrai les visages et les noms. Tout se brouillera. Je sais que ma mémoire blanchira et que je ne distinguerai bientôt plus rien. Je serai un petit corps sec sans souvenir. Une vieille femme sans passé. J'ai vu cela autrefois. Lorsque nous étions enfants, une de nos voisines a sombré dans la sénilité. Elle ne se souvenait plus du nom de son fils. Elle ne le reconnaissait pas lorsqu'il était face à elle. Tout ce qui l'entourait était inquiétant. Elle oubliait sa vie par pans entiers. On la retrouvait dans les rues, errante comme un chien. Elle perdait le contact avec le monde qui l'entourait. Elle ne vivait plus qu'avec ses fantômes. C'est cela qui m'attend. J'oublierai ce qui m'entoure et je resterai en compagnie de mes frères en pensée. Les souvenirs s'effaceront. C'est bien. C'est une façon de disparaître qui me convient. J'oublierai ma propre vie. J'avancerai vers la mort sans crainte ni réticence. Il n'y aura plus rien sur quoi pleurer. Ce sera doux. L'oubli me soulagera de mes peines. J'oublierai que j'avais deux fils et qu'un d'entre eux m'a été enlevé. J'oublierai que Donato est mort et que la mer a gardé son corps. J'oublierai tout. Ce sera plus facile. Je serai comme une enfant. Oui Cela me va. Je vais me diluer tout doucement. Je mourrai chaque jour un peu. J'abandonnerai Carmela Scorta sans même y penser. Le jour de ma mort, je ne me souviendrai même plus de ce que j'étais. Je ne serai pas triste de quitter les miens, ils me seront devenus étrangers.

Il n'y a rien à faire d'autre qu'attendre. Le mal est en moi. Il effacera tout progressivement.

Je ne parlerai jamais à ma petite-fille. Je mourrai avant qu'elle ait l'âge ou, si je dure encore un peu, je ne me souviendrai plus de ce que je voulais lui dire. Il y a tant de choses. Tout se mélangera. Je ne distinguerai plus rien. Je balbutierai. Je lui ferai peur. Raffaele avait raison, il faut que les choses soient dites. Je vous ai tout raconté. Vous lui direz, don Salvatore. Lorsque je serai morte ou lorsque je ne serai plus qu'une vieille poupée qui ne sait plus parler, vous lui direz à ma place. Anna. Je ne connaîtrai pas la femme qu'elle sera mais je voudrais qu'il reste en elle un peu de moi.

Vous lui direz, don Salvatore, qu'il n'est pas absurde d'affirmer que sa grand-mère était la fille d'un vieux Polonais du nom de Korni. Vous lui direz que nous avons décidé d'être les Scorta et de nous serrer les uns contre les autres autour de ce nom pour nous tenir chaud.

Le vent emporte mes mots. Je ne sais pas où il les déposera. Il en parsème les collines. Mais vous veillerez à ce que certains d'entre eux au moins lui parviennent.

Je suis si vieille, don Salvatore. Je vais me taire maintenant. Je vous remercie de m'avoir accompagnée. Rentrez, voulez-vous ? Je suis fatiguée. Rentrez. Ne vous inquiétez pas pour moi. Je vais rester encore un peu pour penser une dernière fois à tout cela. Je vous remercie, don Salvatore. Je vous dis au revoir. Qui sait si je vous reconnaîtrai lorsque nous nous croiserons à nouveau ? La nuit est douce. Il fait bon. Je vais rester ici. J'aimerais tant que le vent se décide à m'emporter.

IX

TREMBLEMENT DE TERRE

Une minute plus tôt, il ne se passait rien et la vie coulait, lente et paisible. Une minute plus tôt, le bureau de tabac était plein comme tous les jours depuis le début de cet été 1980. Le village était rempli de touristes. Des familles entières étaient venues gonfler les campings de la côte. En trois mois d'été, le village faisait le plein d'argent pour l'année. La population de Montepuccio triplait. Tout changeait. Des filles arrivaient, belles, libres, apportant avec elles les dernières modes du Nord. L'argent coulait à flots. Pendant trois mois, la vie à Montepuccio devenait folle.

Une minute plus tôt, c'était cette foule joyeuse de corps bronzés, de femmes élégantes et d'enfants hilares qui se pressait sur le corso. Les terrasses étaient pleines. Carmela regardait le flux ininterrompu des touristes sur le corso. C'était maintenant une vieille femme au corps flétri et à l'esprit troué qui passait ses journées sur une petite chaise en paille, adossée au mur du tabac. Elle était devenue l'ombre qu'elle avait pressentie. Sa mémoire l'avait quittée et son esprit avait vacillé. Elle était comme un nouveau-né dans un corps ridé. Elia s'occupait d'elle. Il avait fait appel à une femme du village qui se chargeait de la nourrir et de la changer. Plus personne ne pouvait lui parler. Elle regardait le monde avec un regard inquiet. Tout était menace. Parfois, elle se mettait à gémir comme si on lui tordait les poignets. Elle était traversée de terreurs obscures. Lorsqu'elle était agitée, il n'était pas rare de la voir déambuler dans les rues du quartier. Elle hurlait le nom de ses frères. Il fallait la convaincre de revenir et la calmer patiemment. Il lui arrivait de ne plus reconnaître son fils. De plus en plus souvent. Elle le contemplait et lui disait : "Mon fils, Elia, va venir me chercher." Dans ces moments-là, il serrait les mâchoires pour ne pas pleurer. Il n'y avait rien à faire. Tous les médecins qu'il avait consultés le lui avaient dit. Il n'y avait qu'à l'accompagner sur la lente route de la sénilité. Le temps la mangeait doucement et il avait commencé son festin par la tête. Elle n'était plus qu'un corps vide secoué de spasmes de pensée. Parfois un nom, un souvenir lui retraversait l'esprit. Elle demandait alors, de sa voix d'autrefois, des nouvelles du village. Avait-on pensé à remercier don Salvatore pour les fruits qu'il avait fait envoyer ? Quel âge avait Anna ? Elia s'était habitué à ses faux retours à la lucidité. Ce n'étaient que des spasmes. Elle replongeait toujours dans son silence profond. Elle ne faisait plus aucun trajet sans être accompagnée. Dès qu'elle était seule, elle se perdait dans le village et se mettait à pleurer dans ce lacis de ruelles qu'elle ne reconnaissait plus.

Elle n'était jamais retournée derrière l'église, sur le terrain où trônait le vieux confessionnal usé par les années. Elle ne saluait pas don Salvatore lorsqu'elle le croisait. Tous ces visages lui étaient inconnus. Le monde qui l'entourait était, pour elle, jailli de nulle part. Elle n'en faisait plus partie. Elle restait là, sur sa chaise en paille, se parlant parfois tout bas en se tordant les doigts, ou mangeant les amandes grillées que son fils lui donnait, avec la joie d'une enfant.

Une minute plus tôt, elle était là, les yeux dans le vague. Elle entendait la voix d'Elia, à l'intérieur, qui discutait avec les clients et cette voix lui suffisait pour savoir qu'elle était à sa place.

Soudain, un frisson fondit sur le village. Les gens s'immobilisèrent dans les rues. Un grondement fit frémir les rues. Venu de nulle part. Il était là. Partout. On aurait dit un tramway courant sous le bitume. Les femmes pâlirent d'un coup en sentant le sol devenir mouvant sous leurs escarpins d'été. Quelque chose semblait courir dans les murs. Les verres tintaient dans les armoires. Les lampes tombaient sur les tables. Les murs ondulaient comme des parois de papier. Les Montepucciens eurent la sensation d'avoir construit leur village sur le dos d'un animal qui se réveillait et s'ébrouait après des siècles de sommeil. Les touristes regardaient, surpris, le visage des autochtones et leurs yeux incrédules demandaient : “Que se passe-t-il ?”

Puis une voix hurla dans la rue, une voix bientôt reprise par des dizaines d’autres : *“Terremoto ! Terremoto* ! ”* Alors, après l’incrédulité des corps, ce fut la panique des esprits. Le grondement était immense et couvrait tous les bruits. Oui, la terre tremblait, fissurant le bitume, coupant l’électricité, ouvrant de grandes brèches dans les murs des maisons, renversant les chaises et inondant les rues d’éboulis et de poussière. La terre tremblait avec une force que rien ne semblait pouvoir entamer. Et les hommes redevenaient de minuscules insectes qui courent sur la surface du globe, priant pour ne pas être engloutis.

Mais déjà le grondement faiblit, et les murs cessèrent de vibrer. Les hommes avaient à peine eu le temps de nommer l’étrange fureur de la terre que tout déjà s’apaisait. Le calme était revenu avec l’étonnante simplicité des fins d’orage. Tout Montepuccio était dans les rues. Par une sorte de réflexe, ils étaient tous sortis, le plus vite possible, de leur maison, craignant de rester prisonniers d’un piège d’éboulis si les murs croulaient dans un nuage de gravats. Ils étaient dehors, comme des somnambules. Regardant le ciel avec hébétude. Des femmes se mirent à pleurer. De soulagement ou de peur. Des enfants hurlèrent. La grande foule des

* “Tremblement de terre ! Tremblement de terre !”

Montepucciens ne savait que dire. Ils étaient tous là, se contemplant les uns les autres, heureux d'être en vie mais encore pleins d'un tremblement intime. Ce n'était plus la terre qui grondait jusque dans leur chair mais la peur qui avait pris le relais et les faisait claquer des dents.

Avant que les rues résonnent de cris et d'appels – avant que chacun compte les siens, avant qu'on commente à l'infini ce coup du sort dans un brouhaha interminable –, Elia sortit du bureau de tabac. Il était resté à l'intérieur durant toute la secousse. Il n'avait eu le temps de penser à rien, pas même à sa possible mort. Il se précipita dans la rue. Ses yeux coururent sur le trottoir et il se mit à hurler : "Miuccia ! Miuccia !" Mais cela ne fit sursauter personne. Car à cet instant, tout le corso se remplit de cris et d'appels. Et la voix d'Elia fut couverte par le vacarme de la foule qui reprenait vie.

Carmela marchait, lentement, le long des rues encombrées de poussière. Elle marchait obstinément, comme elle ne l'avait plus fait depuis longtemps. Une force nouvelle la tenait. Elle se frayait un passage à travers les groupes, contournait les crevasses dans la chaussée. Elle parlait à voix basse. Tout se bousculait dans son esprit. Le tremblement de terre. Ses frères. Le vieux Korni à l'agonie. Le passé remontait comme un magma en fusion. Elle sautait d'un souvenir à l'autre. Une foule de visages se pressait en elle. Elle ne prêtait plus attention à ce qui l'entourait. Des femmes, dans la rue, la virent passer et la hélèrent, lui demandant si tout allait bien, si le cataclysme n'avait rien détruit chez elle, mais elle ne répondit pas. Elle avançait, têtue, absorbée par ses pensées. Elle remonta la via dei Suplicii. La côte était raide et elle dut s'arrêter plusieurs fois pour reprendre son souffle. Elle profita de ces haltes pour contempler le village. Elle voyait les hommes, dehors, en bras de chemise, qui auscultaient les murs pour mesurer les dégâts. Elle voyait les gamins qui posaient des questions auxquelles personne ne pouvait répondre. Pourquoi la terre a-t-elle tremblé ? Retremblera-t-elle ? Et comme les mères ne répondaient pas, elle le fit, elle qui n'avait pas parlé depuis si longtemps. "Oui, la terre retremblera. La terre retremblera. Parce que les morts ont faim", dit-elle à voix basse.

Puis elle reprit sa marche, laissant derrière elle le village et son vacarme. Elle arriva au bout de la via dei Suplicii et prit, à droite, la route de San Giocondo, jusqu'à atteindre les grilles du cimetière. C'est là qu'elle voulait aller. Elle s'était levée de sa chaise en bois avec cette seule pensée en tête : rejoindre le cimetière.

Son esprit sembla apaisé lorsqu'elle poussa la grille d'entrée. Elle eut un dernier sourire de jeune fille sur son visage de vieille.

A l'instant où Carmela s'enfonça dans les allées du cimetière, un grand silence tomba sur Montepuccio. Comme si d'un coup, tous les habitants s'étaient fait la même réflexion. La même peur étreignit tous les esprits et le même mot fut sur toutes les lèvres. "La réplique." Chaque tremblement est suivi d'une réplique. C'est incontournable. Une autre secousse allait venir. Elle ne tarderait pas. Il ne servait à rien de se réjouir et de remonter chez soi tant que la réplique n'était pas passée. Alors, les Montepucciens se serrèrent les uns contre les autres, sur la place, sur le corso, dans les ruelles. Certains allèrent chercher des couvertures et quelques objets précieux au cas où leur maison ne résiste pas à ce deuxième assaut. Puis ils s'installèrent dans l'attente torturante du malheur.

Seul Elia courait d'un point à un autre, gesticulant, fendant la foule en demandant à tous les visages qu'il connaissait : "Ma mère ? Vous avez vu ma mère ?" Et au lieu de répondre, on lui répétait : "Assieds-toi, Elia. Reste ici. Attends. La réplique va venir. Reste avec nous." Mais il n'écoutait pas et poursuivait ses recherches comme un enfant perdu dans la foule.

Sur la place, il entendit une voix qui hurla : "Je l'ai vue, ta mère. Elle a pris la route du cimetière." Et sans même chercher à identifier l'homme qui venait de l'aider, il s'élança dans la direction indiquée.

La réplique fut si soudaine qu'elle renversa Elia face contre terre. Il fut plaqué contre le sol, en pleine rue. La terre grondait sous lui. Les pierres roulaient sous son ventre, sous ses jambes, sous les paumes de ses mains. La terre s'étirait, se contractait et il percevait chacun de ses spasmes. Le grondement résonnait dans ses os. Pendant quelques secondes, il resta ainsi, le front dans la poussière, puis la secousse se calma. Ce n'était que l'écho lointain d'une colère passée. La terre, par ce second coup de semonce, se rappelait à la mémoire des hommes. Elle était là. Elle vivait sous leurs pieds. Et un jour viendrait peut-être où, de lassitude et de colère, elle les engloutirait tous.

Dès qu'il sentit le vacarme s'apaiser, Elia se releva. Un peu de sang lui coulait le long de la joue. Il s'était ouvert l'arcade sourcilière en tombant. Mais, sans même s'essuyer, il reprit sa course vers le cimetière.

Le portail d'entrée était à terre. Il l'enjamba et pénétra dans l'allée principale. Partout, les pierres tombales avaient été éventrées. De longues failles couraient le long du sol, comme des cicatrices sur le corps d'un dormeur. Les statues s'étaient effritées. Certaines croix de marbre gisaient dans l'herbe, en morceaux. Le cimetière avait été traversé par la secousse. C'était comme si des chevaux enragés avaient traversé en trombe les allées, foulant aux pieds les statues, renversant les urnes et les hauts bouquets de fleurs séchées. Le cimetière s'était affaissé comme un palais construit sur des sables mouvants. Elia parvint jusqu'à une grande faille qui barrait l'allée. Il la contempla en silence. La terre, ici, ne s'était pas tout à fait refermée. A cet instant, il sut qu'il ne servait plus à rien d'appeler sa mère. Il sut qu'il ne la reverrait jamais. La terre l'avait engloutie. Et ne la rendrait pas. Il sentit encore, un instant, dans la chaleur de l'air, son parfum de mère.

La terre avait tremblé et emmené au plus profond d'elle-même le vieux corps fatigué de Carmela. Il n'y avait rien d'autre à dire. Il se signa. Et resta longtemps, tête baissée, dans le cimetière de Montepuccio, au milieu des vases brisés et des tombeaux ouverts, avec la caresse du vent chaud qui faisait sécher le sang sur sa joue.

Anna, écoute, c'est la vieille Carmela qui te parle tout bas... Tu ne me connais pas... J'ai été si longtemps une vieille femme sénile dont tu te tenais éloignée... Je ne parlais jamais... Je ne reconnaissais personne... Anna, écoute, je raconte tout cette fois... Je suis Carmela Scorta... Je suis née plusieurs fois, à des âges différents... De la caresse de la main de Rocco dans mes cheveux tout d'abord... Puis, plus tard, sur le pont du bateau qui nous ramenait à notre terre misérable, du regard de mes frères sur moi... De la honte qui m'a submergée à l'instant où l'on m'a retirée de la queue à Ellis Island pour me mettre à l'écart...

La terre s'est ouverte... Je sais que c'est pour moi... J'entends les miens qui m'appellent. Je n'ai pas peur... La terre s'est ouverte... Il me suffit de descendre dans la faille... Je vais jusqu'au centre de la terre pour rejoindre les miens... Qu'est-ce que je laisse derrière moi ?... Anna... Je voudrais que tu entendes parler de moi... Anna, écoute, approche-toi... Je suis un voyage raté au bout du monde...

Je suis des journées de tristesse au pied de la plus grande des villes... J'ai été enragée, lâche et généreuse... Je suis la sécheresse du soleil et le désir de mer.

Je n'ai rien su répondre à Raffaele et j'en pleure encore... Anna... Jusqu'au bout je n'ai réussi qu'à être cela, la sœur des Scorta... Je n'ai pas osé être à Raffaele... Je suis Carmela Scorta... Je disparais... Que la terre se referme derrière moi...

X

LA PROCESSION DE SANT'ELIA

Elia s'était réveillé tard, la tête un peu lourde. La chaleur n'était pas tombée durant la nuit et il avait eu un sommeil agité. Maria lui avait préparé la cafetière et était allée ouvrir le bureau de tabac. Il se leva, l'esprit lourd et la nuque mouillée de sueur. Il ne pensait à rien, si ce n'est qu'aujourd'hui serait encore une longue journée : c'était la fête patronale de Sant'Elia. L'eau fraîche sous la douche lui fit du bien mais à peine fut-il sorti, à peine eut-il mis une chemisette blanche que la chaleur et l'humidité l'assaillirent à nouveau. Il n'était que dix heures du matin. La journée promettait d'être étouffante.

A cette heure, sa petite terrasse était à l'ombre. Il y disposa une chaise en bois pour y boire son café, espérant profiter d'un petit filet d'air. Il habitait une petite maison blanche à coupole en tuiles rouges. Les maisons traditionnelles de Montepuccio. La terrasse était au rez-de-chaussée : une avancée sur le trottoir, protégée par une barrière. Il s'assit là, dégustant son café et essayant de retrouver pleinement ses esprits.

Des enfants jouaient dans la rue. Le petit Giuseppe, le fils de la voisine, les deux frères Mariotti et d'autres qu'Elia connaissait de vue. Ils jouaient à tuer les chiens du quartier pour de faux, à terrasser des ennemis invisibles ou à se poursuivre. Ils criaient. S'attrapaient. Se cachaient. Tout à coup, une phrase resta dans son esprit. Une phrase qu'un des gamins avait hurlée à ses camarades : "On n'a pas le droit d'aller plus loin que le *vecchietto**." Elia leva la tête, contempla la rue. Les gamins se poursuivaient en se cachant derrière les pare-chocs des voitures garées le long du trottoir. Elia chercha du regard un vieillard pour saisir quelles étaient les limites du champ de jeu mais il n'y avait personne. "Pas plus loin que le *vecchietto*". répéta un des enfants en hurlant. C'est alors qu'il comprit. Et cela le fit sourire. Le *vecchietto*, c'était lui. Là, sur sa chaise, il était le petit vieux qui servait de limite au champ de courses. Alors son esprit s'échappa et il oublia les gamins, les cris et les coups de feu imaginaires. Il se souvint, oui, que ses oncles s'étaient assis comme il le faisait aujourd'hui, devant leur maisons. Et qu'à l'époque, il les trouvait vieux. Que sa mère, avant de mourir, s'asseyait sur cette chaise, cette même chaise en paille, et restait des après-midi entiers à contempler les rues du quartier et à se laisser emplir par ses bruits. C'était son

* Le petit vieux.

tour maintenant. Il était vieux. Une vie entière s'était écoulée. Sa fille avait vingt ans. Anna. Sa fille qu'il ne se lassait pas de contempler. Oui. Le temps avait passé. Et c'était à son tour de s'asseoir sur les chaises en paille, au coin des rues, en regardant les jeunes filer d'un pas pressé.

Avait-il été heureux ? Il repensait à toutes ces années. Comment peser une vie d'homme ? Elle avait été comme toutes les autres. Pleine, successivement, de joie et de larmes. Il avait perdu ceux qu'il aimait. Ses oncles. Sa mère. Son frère. Il avait connu cette peine-là. Se sentir rester seul et inutile. Mais il conservait la joie intacte d'avoir à ses côtés Maria et Anna et cela rachetait tout. Avait-il été heureux ? Il repensa aux années qui suivirent l'incendie du tabac et son mariage. Cela lui semblait infiniment loin, comme une autre vie. Il repensa à ces années et il lui semblait qu'il n'avait pas eu une seconde pour reprendre son souffle. Il avait couru après l'argent. Il avait travaillé jusqu'à ce que ses nuits ne soient pas plus longues que des siestes. Mais oui, il avait été heureux. Son oncle avait raison, son vieil oncle Faelucc' qui lui avait dit un jour : "Profite de la sueur." C'est ce qui était arrivé. Il avait été heureux et épuisé. Son bonheur était né de cette fatigue. Il s'était battu. Il s'était accroché. Et maintenant qu'il était devenu ce petit vieux assis sur sa chaise, maintenant qu'il avait réussi à reconstruire son commerce, à offrir à sa femme et à sa fille une vie confortable, maintenant qu'il pouvait être pleinement heureux parce que hors de danger, parce que sauvé de la misère, il ne sentait plus ce sentiment intense de bonheur. Il vivait dans le confort et la tranquillité, ce qui était déjà une chance. Il avait de l'argent, mais ce bonheur sauvage, arraché à la vie, celui-là était derrière lui.

Le petit Giuseppe fut appelé par sa mère. Elia fut tiré de ses pensées par le son chaud et puissant de la voix maternelle. Il releva la tête. Les gamins s'étaient envolés comme une nuée de sauterelles. Il se leva. La journée allait commencer. Aujourd'hui, c'était Sant'Elia. Il faisait chaud. Et il avait tant de choses à faire.

Il sortit de chez lui et remonta le corso. Le village avait changé. Il essaya de se souvenir de ce qu'il avait été cinquante ans auparavant. Combien de commerces qu'il avait connus enfant étaient encore là ? Lentement, tout s'était transformé. Les fils avaient repris les affaires des pères. Les enseignes avaient changé. Les terrasses s'étaient agrandies. Elia marchait au milieu des rues habillées pour la fête et c'était bien là la seule chose qui n'avait pas changé. Aujourd'hui comme hier la ferveur du village illuminait les façades. Des guirlandes d'ampoules électriques pendaient d'un trottoir à l'autre. Il passa devant l'étal du vendeur de bonbons. Deux énormes charrettes remplies de caramels, de réglisses, de sucettes et de sucreries de toutes sortes faisaient tourner la tête des enfants. Un peu plus loin, le fils d'un paysan proposait des tours de mulet aux petits. Il descendait et remontait le corso inlassablement. Les gamins s'accrochaient à la bête, avec appréhension d'abord, puis suppliaient leurs parents de leur payer un autre tour. Elia s'arrêta. Il repensa au vieil âne Muratti. L'âne fumeur de ses oncles. Combien de fois étaient-ils montés dessus, lui et son frère Donato, avec la joie des conquérants ? Combien de fois avaient-ils supplié *zio* Mimi ou *zio* Peppe de leur faire faire un tour ? Ils adoraient le vieil âne. Ils le regardaient en pouffant de rire fumer ses longues tiges de blé. Et lorsque le vieil animal, avec son œil torve et malicieux, finissait par cracher le mégot avec la nonchalance d'un vieux chameau du désert, ils applaudissaient à tout rompre. Ils avaient aimé cette vieille bête. L'âne Muratti était mort d'un cancer du poumon – ce qui finit de prouver aux incrédules qu'il fumait véritablement, avalant la fumée comme un homme. Si le vieil âne Muratti avait vécu plus longtemps, Elia l'aurait choyé précieusement. Sa fille l'aurait adoré. Il imaginait les éclats de rire de la petite Anna à la vue du vieux bourricot. Il aurait emmené sa fille à dos d'âne à travers les rues de Montepuccio et les enfants du quartier en seraient restés sans voix. Mais Muratti était mort. Il appartenait à un temps révolu dont Elia semblait être le dernier à pouvoir encore se souvenir. En repensant à tout cela, les larmes lui vinrent aux yeux. Non pas à cause de l'âne, mais parce qu'il avait repensé à son frère, Donato. Il s'était souvenu de ce gamin étrange et silencieux qui partageait tous ses jeux et connaissait tous ses secrets. Il avait eu un frère, oui. Et Donato était la seule personne à qui Elia pouvait parler de son enfance en sachant qu'il serait compris. L'odeur de tomates séchées chez la tante Mattea. Les aubergines farcies de la tante Maria.

Les bagarres aux jets de pierres avec les gamins des quartiers voisins. Donato avait vécu tout cela, comme lui. Il pouvait se souvenir, avec la même précision que lui et la même nostalgie, de ces années lointaines. Et aujourd'hui, Elia était seul. Donato n'était jamais revenu et cette disparition lui avait fait deux longues rides sous les yeux, les rides d'un frère, orphelin de son frère.

L'humidité faisait poisser la peau. Pas une brise de vent ne séchait la sueur des corps. Elia marchait lentement pour ne pas tremper sa chemise, en prenant soin de longer les murs ombragés. Il arriva devant le grand portail blanc du cimetière et entra.

A cette heure et en ce jour de fête patronale, il n'y avait personne. Les vieilles s'étaient levées tôt pour aller fleurir la tombe de leur regretté époux. Tout était vide et silencieux.

Il s'enfonça dans les allées, au milieu du marbre blanc sur lequel frappait le soleil. Il marchait d'un pas lent, plissant les yeux pour lire le nom des défunts gravés dans la pierre. Toutes les familles de Montepuccio étaient là. Les Tavaglione, les Biscotti, les Esposito, les De Nittis. De père en fils. Cousins et tantes. Tous. Des générations entières coexistant dans un parc de marbre.

“Je connais plus de gens ici qu'au village, se dit Elia. Les gamins, ce matin, avaient raison. Je suis un petit vieux. Les miens sont presque tous là. J'imagine que c'est à cela qu'on voit que les années vous ont rattrapé.”

Il trouva dans cette idée une forme étrange de réconfort. Il avait moins peur de la mort lorsqu'il se mettait à penser à tous ceux qu'il connaissait et qui avaient déjà fait ce passage. Comme un enfant qui tremble devant le fossé à franchir mais qui, voyant ses camarades sauter et passer de l'autre côté, s'enhardit et se murmure à lui-même : "S'ils l'ont fait, je peux bien le faire." C'est exactement ce qu'il se disait. Si tous ceux-là étaient morts, qui n'étaient ni plus braves ni plus aguerris que lui, alors il pouvait bien mourir à son tour.

Il approchait maintenant du secteur où les siens étaient enterrés. Chacun de ses oncles avait été enseveli avec sa femme. Il n'y avait pas de caveau assez grand pour tous les Scorta. Mais ils avaient expressément fait la demande de ne pas être trop éloignés les uns des autres. Elia prit un peu de recul. Il s'assit sur un banc. De là où il était, il les voyait tous. L'oncle Mimi va fan'culo. L'oncle Peppe pancia piena. L'oncle Faelucc'. Il resta longuement ainsi. Sous le soleil. Oubliant la chaleur. Ne prêtant plus attention à la sueur qui lui coulait le long du dos. Il repensait à ces oncles tels qu'il les avait connus. Il repensait aux histoires qu'on lui avait racontées. Il avait aimé ces trois hommes avec tout le cœur d'un enfant. Bien plus que son père – qui lui avait souvent paru être un étranger, mal à l'aise dans les réunions de famille, incapable de transmettre à ses fils un peu de lui-même, alors que les trois oncles, eux, n'avaient cessé de veiller sur lui et Donato, avec la générosité des hommes mûrs, un peu lassés du monde, face à des enfants neufs et innocents. Il ne parvenait pas à établir la liste exhaustive de tout ce qu'il tenait d'eux. Des paroles. Des gestes. Des valeurs aussi. Il s'en rendait compte maintenant qu'il était père et que sa grande fille le gourmandait parfois pour ses tournures de pensée qu'elle qualifiait d'archaïques. Le silence sur l'argent, la parole donnée. L'hospitalité. Et la rancune tenace. Tout cela venait de ses oncles. Il le savait.

Elia était là, assis sur son banc, laissant les pensées se mêler aux souvenirs, le sourire aux lèvres, au milieu des chats qui semblaient sortir de terre. Est-ce la chaleur du soleil tombant à pic sur son crâne qui le fit halluciner ? Ou est-ce que les caveaux laissèrent réellement échapper leurs occupants pour un court instant ? Il lui sembla que sa vue se troublait et il vit ses oncles, là, à deux cents mètres à peine. Il les vit. Domenico, Giuseppe et Raffaele, tous les trois autour d'une table en bois, jouant aux cartes comme ils aimaient à le faire, sur le corso, en fin d'après-midi. Il resta interdit et ne bougea plus. Il les voyait si bien. Ils avaient peut-être un peu vieilli, mais à peine. Chacun avait conservé ses tics, ses gestes, son exacte silhouette. Ils riaient. Le cimetière était à eux. Et les allées vides résonnaient du doux son des cartes que l'on jette avec force sur le bois.

Un peu à l'écart de la table se tenait Carmela. Elle observait la partie. Invectivait un de ses frères lorsqu'il avait mal joué. Défendait celui que les autres houspillaient.

Une goutte de sueur coula des sourcils d'Elia et lui fit refermer les yeux. Il prit conscience que le soleil frappait fort. Il se leva. Et sans quitter des yeux les siens, il s'éloigna, à reculons. Il ne perçut bientôt plus leur conversation. Il se signa et recommanda leur âme à Dieu, le priant humblement de bien vouloir les laisser jouer aux cartes, aussi longtemps que le monde serait monde.

Puis il tourna les talons.

Il éprouva alors le désir impérieux de parler avec don Salvatore. Non pas de paroissien à curé – Elia fréquentait peu l'église – mais d'homme à homme. Le vieux Calabrais vivait toujours, au rythme lent de la vieillesse. Un nouveau curé était arrivé à Montepuccio. Un jeune homme de Bari du nom de don Lino. Qui plaisait aux femmes. Elles l'adoraient et ne cessaient de dire qu'il était temps que Montepuccio ait un curé moderne qui comprenne les problèmes d'aujourd'hui et sache parler aux jeunes. Et de fait, don Lino savait toucher le cœur des jeunes gens. Il était leur confident. Il jouait de la guitare lors de longues soirées sur la plage, en été. Il rassurait les mères. Dégustait leurs tartes et écoutait leurs problèmes de couple avec un sourire plein de retenue et de concentration. Montepuccio était très fier de son curé. Tout Montepuccio, sauf les vieux du village qui ne voyaient en lui qu'un galant. Ils avaient aimé par-dessus tout la franchise et la rudesse paysanne de don Salvatore et trouvaient que le *Barese** n'avait pas le cran de son prédécesseur.

* Habitant de la ville de Bari (dans les Pouilles).

Don Salvatore s'était refusé à quitter Montepuccio. Il voulait vivre ses derniers jours là, au milieu de ses ouailles, dans son église. Il était impossible de donner un âge au Calabrais. C'était un vieillard sec aux muscles noueux et au regard de busard. Il approchait des quatre-vingts ans et le temps semblait l'avoir oublié. La mort ne venait pas.

Elia le trouva dans son petit jardin, les pieds dans l'herbe et la tasse de café à la main. Don Salvatore l'invita à s'asseoir à ses côtés. Les deux hommes s'aimaient profondément. Ils discutèrent un peu, puis Elia s'ouvrit à son ami de ce qui le tourmentait :

"Les générations se succèdent, don Salvatore. Et quel sens cela a-t-il au bout du compte ? Est-ce qu'à la fin, nous arrivons à quelque chose ? Regardez ma famille. Les Scorta. Chacun s'est battu à sa manière. Et chacun, à sa manière, a réussi à se surpasser. Pour arriver à quoi ? A moi ? Suis-je vraiment meilleur que ne le furent mes oncles ? Non. Alors à quoi ont servi leurs efforts ? A rien. Don Salvatore. A rien. C'est à pleurer de se dire cela.

— Oui, répondit don Salvatore, les générations se succèdent. Il faut juste faire de son mieux, puis passer le relais et laisser sa place."

Elia marqua un temps de silence. Il aimait, chez le curé, cette façon de ne pas tenter de simplifier les problèmes ou de leur donner un aspect positif. Beaucoup de gens d'Eglise ont ce défaut. Ils vendent à leurs ouailles le paradis, ce qui les pousse à des discours niais de réconfort bon marché. Don Salvatore, non. A croire que sa foi ne lui était d'aucun réconfort.

"Je me demandais justement, reprit le curé, avant que tu n'arrives, Elia, qu'est devenu ce village. C'est le même problème. A une autre échelle. Dis-moi, qu'est devenu Montepuccio ?

— Un sac d'argent sur un tas de cailloux, dit amèrement Elia.

— Oui. L'argent les a rendus fous. Le désir d'en avoir. La peur d'en manquer. L'argent est leur seule obsession.

— Peut-être, ajouta Elia, mais il faut reconnaître que les Montepucciens ne crèvent plus de faim. Les enfants n'ont plus la malaria et toutes les maisons ont l'eau courante.

— Oui, dit don Salvatore. Nous nous sommes enrichis, mais qui mesurera un jour l'appauvrissement qui est allé de pair avec cette évolution ? La vie du village est pauvre. Ces crétins ne s'en sont même pas aperçus."

Elia pensa que don Salvatore exagérait, mais il songea alors à la vie de ses oncles. Ce que ses oncles avaient fait l'un pour l'autre, Elia l'avait-il fait pour son frère Donato ?

"C'est notre tour de mourir maintenant, Elia." Le curé avait dit ces paroles avec douceur.

"Oui, répondit Elia. Ma vie est derrière moi. Une vie de cigarette. Toutes ces cigarettes vendues qui ne sont rien. Que du vent et de la fumée. Ma mère a sué, ma femme et moi avons sué sur ces paquets d'herbe séchée qui se sont volatilisés entre les lèvres des clients. Du tabac parti en fumée. Voilà à quoi ressemble ma vie. Des volutes qui disparaissent dans le vent. Tout cela n'est rien. C'est une vie étrange sur laquelle les hommes ont tiré par petites saccades nerveuses ou par grandes bouffées calmes, les soirs d'été.

— N'aie crainte. Je partirai avant toi. Il te reste un peu de temps.

— Oui.

— Quel dommage, ajouta le curé. Je les aimais tant, mes culs-terreux. Je ne me résous pas à les quitter."

Elia sourit. Il trouvait cette remarque bien étrange dans la bouche d'un homme d'Eglise. Qu'en était-il de la paix éternelle, du bonheur d'être rappelé à la droite de Dieu ? Il voulut faire remarquer cette contradiction à son ami, mais il n'osa pas.

"Il me semble parfois que vous n'êtes pas vraiment un curé, se contenta-t-il de dire, en souriant.

— Je ne l'ai pas toujours été.

— Et maintenant ?

— Maintenant, je pense à la vie et j'enrage d'avoir à la quitter. Je pense au Seigneur et l'idée de sa bonté ne suffit pas à apaiser ma peine. Je crois que j'ai trop aimé les hommes pour pouvoir me résoudre à les abandonner. Si au moins je pouvais avoir la certitude d'avoir, de temps à autre, des nouvelles de Montepuccio.

— Il faut passer le relais, dit Elia, reprenant les mots du curé.

— Oui." Un silence tomba sur les deux hommes, puis le visage de don Salvatore s'éclaira et il ajouta : "Les olives sont éternelles. Une olive ne dure pas. Elle mûrit et se gâte. Mais les olives se succèdent les unes aux autres, de façon infinie et répétitive. Elles sont toutes différentes, mais leur longue chaîne n'a pas de fin. Elles ont la même forme, la même couleur, elles ont été mûries par le même soleil et ont le même goût. Alors oui, les olives sont éternelles. Comme les hommes. Même succession infinie de vie et de mort. La longue chaîne des hommes ne se brise pas. Ce sera bientôt mon tour de disparaître. La vie s'achève. Mais tout continue pour d'autres que nous."

Les deux hommes gardèrent le silence. Puis Elia constata qu'il allait être en retard au tabac et prit congé de son vieil ami. Au moment où il lui serra la main avec chaleur, il lui sembla que don Salvatore était sur le point d'ajouter quelque chose mais il ne le fit pas et les deux hommes se séparèrent.

“Mais que fait-elle ?”

Elia était maintenant devant la porte du bureau de tabac. La lumière du soir caressait les façades. Il était vingt heures et pour Elia, l’instant était sacré. Les lumières du village étaient allumées. Une foule noire se pressait sur les trottoirs du corso Garibaldi. Une foule immobile et bruyante. La procession allait passer. Et Elia voulait être là, devant son bureau de tabac, pour la voir passer. Comme il l’avait toujours fait. Comme sa mère, avant lui, le faisait déjà. Il attendait. La foule se pressait autour de lui.

“Mais que fait-elle ?”

Il attendait sa fille. Il lui avait dit ce matin : “Passe au tabac pour la procession” et comme elle lui avait dit oui avec l’air de n’avoir pas entendu, il avait répété : “Tu n’oublieras pas. A vingt heures. Au tabac.” Et elle avait ri, lui avait caressé la joue et l’avait tancé d’un : “Oui papa, comme chaque année, je n’oublierai pas.”

La procession allait passer et elle n’était pas là. Elia commença à pester. Ce n’était pourtant pas compliqué. Le village n'était pas si grand que l'on puisse s'y perdre. Tant pis, au fond. Si elle n'était pas là, c'est qu'elle ne comprenait rien. Il regarderait passer la procession tout seul. Anna était une belle jeune fille. Elle avait quitté Montepuccio à dix-huit ans pour suivre des études de médecine à Bologne. De longues études qu'elle entamait avec entrain. C'est Elia qui l'avait poussée à choisir Bologne. La petite se serait bien vue à Naples, mais Elia voulait le meilleur pour sa fille et il avait peur de la vie napolitaine. Elle était la première des Scorta à quitter le village et aller tenter sa chance dans le Nord. Il était hors de question qu'elle reprenne le tabac. Elia et Maria s'y opposaient farouchement et la jeune fille. du reste, n'en avait aucune envie. Pour l'heure, elle était toute à la joie d'être étudiante dans une belle ville universitaire pleine de garçons aux yeux sucrés. Elle découvrait le monde. Elia était fier de cela. Sa fille faisait ce qu'il n'avait pas fait lorsque l'oncle Domenico le lui avait proposé. Elle était la première à s'extraire de cette terre sèche qui n'avait rien à offrir. Son départ était probablement définitif. Elia et Maria en avaient souvent discuté : il y avait de grandes chances pour qu'elle trouve un garçon là-bas, qu'elle décide de s'y installer, qu'elle s'y marie peut-être. Elle serait bientôt une de ces belles femmes élégantes et pleines de bijoux qui viennent passer un mois, en été, sur les plages du Gargano.

Il repensait à tout cela, sur le trottoir, immobile, lorsqu'il aperçut au coin de la rue le grand drapeau de Sant'Elia qui se balançait lentement, de façon hypnotique, au-dessus des passants. La procession arrivait. A sa tête, un homme seul, robuste et endurant, portait un mât de bois sur lequel était accroché un long drapeau aux couleurs du village. Il avançait lentement, encombré par le poids du velours et prenant garde que le mât ne s'agrippe dans les lumières électriques qui pendaient d'un réverbère à l'autre. Derrière suivait la procession. Ils étaient maintenant en vue. Elia se raidit. Remit en place son col de chemise. Passa les mains derrière le dos et attendit. Il allait pester contre sa maudite fille qui était déjà une parfaite Milanaise, lorsqu'il sentit une main jeune et nerveuse s'engouffrer dans la sienne. Il se retourna. Anna était là. Souriante. Il la regarda. C'était une belle femme, pleine de l'insouciance joyeuse de son âge. Elia l'embrassa et lui fit une place à ses côtés, en gardant sa main dans la sienne.

Si Anna était arrivée en retard, c'est parce que don Salvatore l'avait amenée au vieux confessionnal. Il lui avait parlé pendant plusieurs heures et avait tout raconté. Et c'est comme si la vieille voix cassée de Carmela s'était mise à caresser les herbes des collines. L'image qu'Anna avait conservée de sa grand-mère – une vieille femme sénile au corps fatigué et laid – venait d'être balayée. Carmela avait parlé à travers la bouche du curé. Et Anna portait désormais en elle les secrets de New York et de Raffaele. Elle était résolue à ne rien dire à son père. Elle ne voulait pas que New York soit enlevé aux Scorta. Sans qu'elle sache bien pourquoi, ces secrets la rendaient forte, infiniment forte.

La procession marqua un temps d'arrêt. Tout s'immobilisa. La foule fit silence le temps du recueillement, puis la marche reprit, au son aigu et puissant des cuivres de l'orchestre. Le passage de la procession était un moment de grâce. La musique emplissait les âmes. Elia se sentit faire partie d'un tout. La statue de Sant'Elia approchait, portée par huit hommes, trempés de sueur. Elle semblait danser sur la foule, se balançant lentement, comme une barque sur les flots, au rythme chaloupé de la marche des hommes. Les Montepucciens se signaient à son passage. A cet instant, Elia et don Salvatore se croisèrent du regard. Le vieux curé lui fit un signe de tête, souligné par un sourire, puis le bénit. Elia repensa à ces jours passés où il avait volé les médailles de San Michele et où le village entier l'avait traqué pour lui faire payer ce geste mécréant. Il se signa profondément pour se laisser emplir de la chaleur du sourire du vieux curé.

Lorsque la statue du saint fut devant le bureau de tabac, Anna pressa un peu plus fort la main de son père et celui-ci pensa qu'il s'était trompé. Sa fille serait la première à quitter le village, mais c'était bien une Montepuccienne. Elle était de cette terre. Elle en avait le regard et la fierté. C'est alors qu'elle lui murmura à l'oreille : "Rien ne rassasie les Scorta." Elia ne répondit rien. Il était surpris par cette phrase et surtout par le ton calme et décidé avec lequel sa fille l'avait prononcée. Que voulait-elle dire ? Cherchait-elle à le mettre en garde contre un travers de la famille qu'elle venait de découvrir ? Ou à lui dire qu'elle connaissait et partageait la vieille soif des Scorta, cette soif qui avait été leur force et leur malédiction ? Il pensa à tout cela et il lui parut tout à coup que le sens de cette phrase était plus simple. Anna était une Scorta. Elle venait de le devenir. Malgré le nom de Manuzio qu'elle portait. Oui. C'était cela. Elle venait de choisir les Scorta. Il la regardait. Elle avait un beau regard profond. Anna. La dernière des Scorta. Elle choisissait ce nom. Elle choisissait la lignée des mangeurs de soleil. Cet appétit insatiable, elle le faisait sien. Rien ne rassasie les Scorta. Le désir éternel de manger le ciel et de boire les étoiles. Il voulut répondre quelque chose mais à cet instant la musique reprit, couvrant les murmures de la foule. Il ne dit rien. Il serra fort la main de sa fille dans la sienne.

C'est alors que Maria vint les rejoindre sur le seuil du tabac. Elle avait vieilli elle aussi, mais gardait toujours dans son regard cette lumière sauvage qui avait rendu fou Elia. Ils se tenaient serrés les uns contre les autres, entourés par la foule. Un sentiment puissant les submergea. La procession était là. Devant eux. La musique puissante les enivrait. Le village tout entier était dehors. Les enfants avaient des bonbons plein les mains. Les femmes étaient parfumées. C'était comme cela avait toujours été. Ils se tenaient bien droits devant le bureau de tabac. Avec fierté. Non pas de la fierté arrogante des parvenus, mais fiers simplement parce qu'ils sentaient que cet instant était juste.

Elia se signa. Embrassa la médaille de la Madone qu'il avait au cou et que sa mère lui avait offerte. Sa place était ici. Oui. Il n'y avait pas de doute à cela. Sa place était ici. Il ne pouvait en être autrement. Devant le tabac. Il repensa à l'éternité de ces gestes, de ces prières, de ces espoirs et y trouva un profond réconfort. Il avait été un homme, pensa-t-il. Juste un homme. Et tout était bien. Don Salvatore avait raison. Les hommes, comme les olives, sous le soleil de Montepuccio, étaient éternels.

A l'instant d'achever ce livre, mes pensées vont à tous ceux qui, en m'ouvrant les portes de ces terres, m'ont permis de l'écrire. Mes parents pour m'avoir transmis leur amour de l'Italie. Alexandra qui m'a emmené sur ses pas à la découverte du Sud et offert le plaisir et l'honneur de le contempler à travers ses yeux amoureux et ensoleillés. Renato, Franca, Nonna Miuccia, Zia Sina, Zia Graziella, Domenico, Carmela, Lino, Mariella, Antonio, Federica, Emilia, Antonio et Angelo. Pour leur hospitalité et leur chaleur. Pour les histoires qu'ils m'ont racontées. Les plats qu'ils m'ont fait goûter. Pour les heures passées à leurs côtés dans la saveur des jours d'été. Pour ce qu'ils m'ont transmis, sans même s'en apercevoir, sur cette manière d'être à la vie que je ne trouve qu'en ces terres et qui me bouleverse toujours. J'espère que tous reconnaîtront dans ces pages un peu d'eux-mêmes. Ce ne serait que justice : ils m'ont accompagné pendant les heures où je me débattais seul avec la page. Ces lignes ont été écrites pour eux. Je voudrais qu'elles ne disent que cela : combien me sont précieux ces instants vécus sous le soleil des Pouilles.

TABLE

I. Les pierres chaudes du destin 9
II. La malédiction de Rocco 35
III. Le retour des miséreux........................... 69
IV. Le tabac des taciturnes.......................... 97
V. Le banquet.. 127
VI. Les mangeurs de soleil........................... 155
VII. Tarentelle.. 189
VIII. La plongée du soleil.............................. 223
IX. Tremblement de terre............................. 247
X. La procession de Sant'Elia 261

BABEL

Extrait du catalogue

728. JEAN-LUC OUTERS
La Compagnie des eaux

729. JAMAL MAHJOUB
La Navigation du faiseur de pluie

730. ANNE BRAGANCE
Une valse noire

731. LYONEL TROUILLOT
Bicentenaire

732. INTERNATIONALE DE L'IMAGINAIRE N° 21
Cette langue qu'on appelle le français

733. ALAIN LORNE
Le Petit Gaulliste

COÉDITION ACTES SUD – LEMÉAC

Ouvrage réalisé par l'Atelier graphique Actes Sud.
Achevé d'imprimer en mai 2007 par Bussière à Saint-Amand-Montrond (Cher) sur papier fabriqué à partir de bois provenant de forêts gérées durablement (www.fsc.org) pour le compte d'ACTES SUD, Le Méjan, Place Nina-Berberova 13200 Arles.
Dépôt légal 1re édition : mars 2006
N° impr. : 071907/1
(Imprimé en France)